AGIR E PENSAR COMO UM GATO

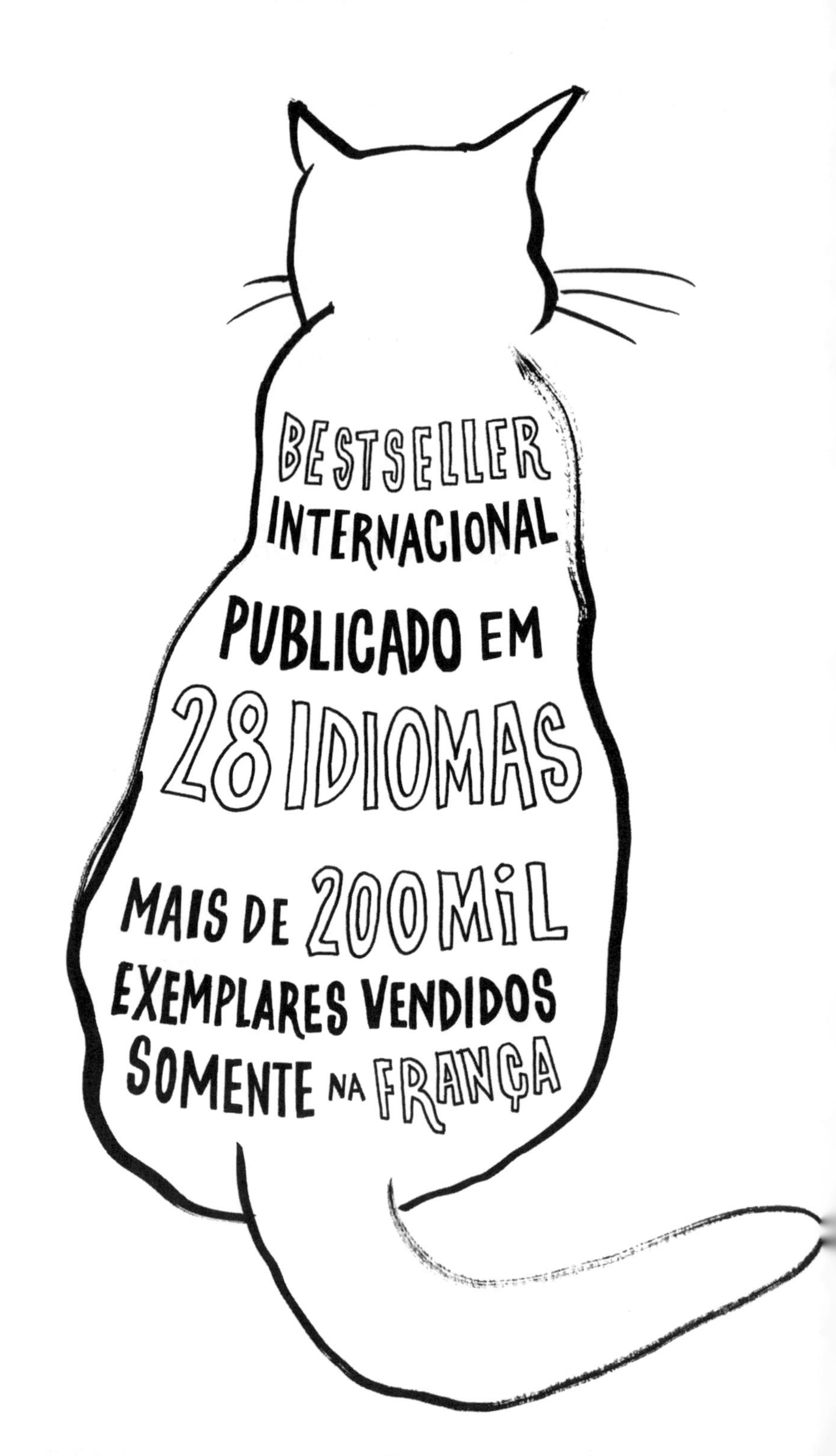
BESTSELLER
INTERNACIONAL
PUBLICADO EM
28 IDIOMAS
MAIS DE 200 MIL
EXEMPLARES VENDIDOS
SOMENTE NA FRANÇA

STÉPHANE GARNIER

AGIR E PENSAR COMO UM GATO

Tradução

Maria Alice A. de Sampaio Dória

Rio de Janeiro, 2024
5ª Edição

TÍTULO ORIGINAL
Agir et penser comme un chat

CAPA
Raul Fernandes

ILUSTRAÇÕES DE MIOLO
MaGwen (Paris) *by* Sebastien Hardy & Victoria Arbuzova
para Éditions de l'Opportun

DIAGRAMAÇÃO
Kátia Regina Silva | editoriarte

Impresso no Brasil
Printed in Brazil
2024

CIP-BRASIL. CATALOGAÇÃO NA PUBLICAÇÃO
SINDICATO NACIONAL DOS EDITORES DE LIVROS, RJ
VANESSA MAFRA XAVIER SALGADO – BIBLIOTECÁRIA CRB-7/6644

G222a
5.ed.

Garnier, Stéphane

Agir e pensar como um gato / Stéphane Garnier; tradução Maria Alice A. de Sampaio Dória – 5. ed. – Rio de Janeiro: Valentina, 2024.

208p. il. ; 21 cm.

Tradução de: Agir et penser comme un chat
ISBN 978-85-5889-092-2

1. Motivação (Psicologia). 2. Conduta. 3. Autoconsciência. 4. Autorrealização. I. Dória, Maria Alice A. de Sampaio. II. Título.

CDD: 158.1
19-58226 CDU: 159.923.2

Todos os livros da Editora Valentina estão em conformidade com o novo Acordo Ortográfico da Língua Portuguesa.

EDITORA VALENTINA
Rua Santa Clara 50/1107 – Copacabana
Rio de Janeiro – 22041-012
Tel/Fax: (21) 3208-8777
www.editoravalentina.com.br

Para Ziggy,
meu gato.

SUMÁRIO

PREFÁCIO

Tem certos dias em que não estamos nem um pouco a fim de trabalhar, de saber o que está acontecendo no mundo, e muito menos nos preocuparmos com o que vem pela frente... Não estamos a fim de discutir sobre política pra não ter que rosnar para quem pensa diferente, nem ficar angustiados por causa do trabalho, cogitando se vamos conseguir nos aposentar...

Não estamos nem aí para os problemas pessoais e muito menos para os familiares, não queremos nos sentir culpados porque tomamos um banho demorado em "detrimento" do planeta, nem ficar com a consciência pesada porque comemos besteiras demais.

Só queremos desligar, dar uma boa desconectada, e apenas por um instante... respirar.

Quando me viro, vejo meu gato, Ziggy, entrando no escritório sem fazer qualquer ruído. Ele me observa, pula na minha mesa de trabalho e se deita sobre o teclado do computador. Pequeno ritual de muitos anos, desde o tempo em que eu ainda escrevia em cadernos e ele não parava de mordiscar a tampa da minha caneta. Sorrio, pois é uma brincadeira nossa. Ziggy age como se adorasse me ver escrevendo, mas faz tudo para me impedir.

Confesso que até hoje, além das suaves patadas, das idas e vindas entre os meus joelhos e o teclado, eu não via nessa manobra nada além de carinho e travessura...

Mas é bem provável que ele esteja querendo me dizer alguma coisa depois de todos esses anos, ou simplesmente me propondo: "Ei! Que tal desligar um pouco?"

Desligar... Nesse exato momento em que está esfregando o nariz no meu pescoço, eu não estou a fim... Não estou *nada* a fim de saber se vou conseguir pagar as minhas contas, nem de me preocupar com o sobe e desce da Bolsa...

Por acaso ele se preocupa com isso?

Talvez seja exatamente esse o segredo que ele está querendo me contar há tanto tempo: largar de mão, me entregar ao essencial, pensar no meu bem-estar, fazer como ele... Viver como um gato!

Ao que tudo indica, o gato vive muito melhor do que nós! Por que não aprender com ele? Foi o que decidi fazer ao decodificar seu dia a dia, suas aspirações e seu estilo de vida.

Estava tudo ali na minha frente, sem que eu realmente me desse conta esses anos todos.

Tanto na nossa vida pessoal quanto na profissional, temos muito a aprender com o gato!

Por isso, convido você a descobrir neste livro: como se distanciar da rotina, recuperar o bem-estar e sorrir mais!

Ele tem razão em quê? Em que deveremos nos inspirar nele?

A partir de agora, para considerar uma nova maneira de ver a vida, vamos pensar e agir como um gato!

NOSSOS AMIGOS, OS GATOS

"No começo, Deus criou o homem,
mas ao vê-lo tão frágil, deu-lhe o gato."
Warren Eckstein

"Os gatos, mesmo os de rua,
são sempre nobres.
Eles não querem nada.
São apenas gatos... e ponto final."
Frédéric Vitoux

Os gatos nos fascinam desde a noite dos tempos. Ao observá-los, ao tentar compreendê-los, nós encontramos no seu vigor, nas suas atitudes, nas suas qualidades, nos seus hábitos, nas suas pequenas manias, uma espécie de magia em viver serenamente e ser felizes.

Com certeza, muitos dos trunfos que os gatos possuem naturalmente, podemos utilizar no nosso cotidiano, na nossa vida pessoal e profissional.

Eles têm uma filosofia de vida que parece se resumir em algumas palavras: comer, brincar, dormir, preocupar-se com o próprio conforto e só fazer o que lhes dá prazer. O que já é muuuito para nós! Só que não para por aí, como você vai descobrir.

Os gatos levam uma vida saudável que lhes permite viver sem estresse, porque sua única prioridade é o próprio bem-estar!

Por intermédio deles, observando sua rotina, podemos abrir para nós uma outra perspectiva, uma outra visão de mundo, bem como uma compreensão diferente e mais positiva de nós mesmos.

Então, bem-vindo ao olhar do gato, aos seus pensamentos e à sua filosofia, para que possamos apreciar a vida do mesmo jeito que ele aprecia!

O GATO É LIVRE

"No íntimo, somos todos motivados pelas mesmas urgências. Os gatos têm coragem de viver sem se preocupar com elas."

Jim Davis

Liberdade, doce liberdade! Quem não sonha com ela como o motor que movimenta a própria vida?

Livre para ir e vir, livre para fazer somente o que dá prazer, livre nas ações, nos desejos, nos caprichos... Pensamentos e movimentos livres! Livre!

Paradoxalmente, todos nós temos uma forte propensão a acumular obstáculos e, com frequência, nos aprisionarmos, seja a empréstimos bancários que só nos obrigam a trabalhar cada vez mais, seja a objetos fúteis mas preciosos aos nossos olhos, seja a hábitos que se tornam obrigações que nem mesmo percebemos, seja a pessoas nocivas que ainda nos obrigamos a suportar...Talvez seja esse o momento para fazer uma boa faxina na vida.

Por que não tentar conservar o que você ama, preservar as amizades que lhe fazem bem, praticar as atividades que lhe dão prazer e escolher a profissão que o apaixona?

Só fazer o que dá na cabeça, ir atrás exclusivamente dos desejos... talvez você pense que se trata de um sonho quase impossível... Mas não para o gato, que decidiu ser livre, livre de ter, livre para ser, livre para viver como melhor lhe parecer em todos os momentos da vida.

Mais do que uma rotina, uma segunda natureza do gato, trata-se mesmo é da razão da sua vida: ser livre. O resto, no final, pouco lhe importa, enquanto nós, muitas vezes, relegamos esse ideal a, quem sabe, um dia poder tirar férias, quando... quando o cronograma da empresa permitir.

VOCÊ QUER VIVER
COMO UM GATO?
SEJA LIVRE
COMO O AR!
E SÓ FAÇA O QUE
BEM ENTENDER!

O DESPERTAR DO GATO

SIGA-O PASSO A PASSO E O INCLUA NA SUA ROTINA.
VOCÊ VIVERÁ MELHOR!

7:30 | O DESPERTADOR TOCA.

COM O CÉREBRO SONOLENTO, COMO ACONTECE COM MUITAS PESSOAS, O DESPERTAR NEM SEMPRE É FÁCIL... OBSERVE O QUE FAZ O GATO.

ELE NÃO PULA DO CESTO COMO O PALHAÇO DA CAIXA SURPRESA: FAZ MAL AO CORPO E AO HUMOR. ELE SE ESPREGUIÇA, SE ESTICA, ABRE OS OLHOS DEVAGAR E LEVA O TEMPO QUE ACHAR NECESSÁRIO PARA ACORDAR.

ENTÃO, ESPREGUICE, BOCEJE... DE NADA VAI ADIANTAR VOCÊ SE APRESSAR. O GATO SE ALONGA ENQUANTO AINDA ESTÁ DEITADO, DEPOIS SE LEVANTA, SE ENCOLHE PARA TORNAR A SE ALONGAR E BOCEJA ARREGANHANDO OS CANINOS; SÓ DEPOIS SE SENTA PISCANDO OS OLHOS.

EU TENTEI. EU O IMITEI. DE FATO, É MUITO MAIS AGRADÁVEL AGIR ASSIM DO QUE DAR UM PULO DIGNO DE UMA PANQUECA SENDO VIRADA NA FRIGIDEIRA, E SAIR DA CAMA FEITO UM ALUCINADO EM DIREÇÃO À CAFETEIRA.

ESSE FENÔMENO, USUAL NA MAIORIA DOS ANIMAIS, SE CHAMA PANDICULAÇÃO, UM AUTOMATISMO QUE NÓS HUMANOS TENDEMOS A ESQUECER CONSTANTEMENTE. É EXCELENTE PARA TER UM BOM DESPERTAR E UM ÓTIMO INÍCIO DE DIA!

O GATO É CARISMÁTICO

"Com as qualidades de asseio, afeto, paciência, dignidade e coragem que os gatos possuem, pergunto: quantos de nós poderiam se tornar gatos?"

Fernand Mery

O gato não precisa miar nem ficar dando piruetas ou derrubando bibelôs para chamar atenção. Percebemos sua presença assim que ele entra no ambiente. Seu carisma, muito peculiar, é a garantia de que será notado.

Sua discrição e personalidade nos obrigam a virar a cabeça na direção dele todas as vezes que passeia pela sala. Que classe, uma classe e tanto, realmente! Quem não sonha possuir tal magnetismo?

O que ele faz para irradiar tantas vibrações positivas e captar tanta admiração à sua volta?

Nada. ELE É.

Eis a grande lição a se aprender com o gato para adquirir um pouco mais de carisma: é preciso ser!

Nada de mentir nem se esconder atrás de falsas aparências, nada de representar um papel, nem se agitar fazendo grandes movimentos com os braços para tentar hipnotizar as pessoas... Simplesmente, não faça nada.

Irradie sua personalidade como se você fosse uma fonte de luz. Não se envolva mais do que o necessário numa discussão, não monopolize a conversa para se exibir... você só vai entediar a plateia. As pessoas perceberão, inconscientemente, que, por meio desses longos monólogos, você está tentando, acima de tudo, se autopromover e tranquilizar a si mesmo.

Isso não é ter carisma, é apenas ser onipresente, invasivo... Até se tornar praticamente enfadonho. Resumindo: um chato!

Você nunca percebeu que as pessoas mais carismáticas não exageram na performance? Elas são discretas nas opiniões e na maneira como se vestem.

As pessoas mais carismáticas não são as mais extravagantes; ao contrário, elas estão presentes, mas sempre mostram uma certa reserva.

O carisma se desenvolve à medida que somos honestos com nós mesmos e com os outros, que nos aceitamos tal como somos, sem usar de artifícios que não correspondem à nossa verdadeira personalidade.

Por várias razões, todos nós podemos desenvolver a atraente personalidade felina, desde que sejamos autênticos em todas as circunstâncias.

PARA ILUMINAR O AMBIENTE COM A SUA PRESENÇA, COM O SEU CARISMA: SEJA SINCERO, SEJA DISCRETO, SEJA SIMPLES, SEJA VERDADEIRO!

O GATO É CALMO (NA MAIOR PARTE DO TEMPO)

"A ideia de calma está num gato sentado."
RENÉ CHAR

O estresse é o grande flagelo da nossa sociedade. Como combatê-lo? Como canalizá-lo?

Nos últimos anos foram desenvolvidos muitos métodos e técnicas de relaxamento. Mas isso está longe de ser um bom sinal, pois significa que só cresce o número de pessoas cada vez mais estressadas.

Nervos constantemente à flor da pele, uma insônia implacável que se soma ao nervosismo, à ansiedade, ao ranger dos dentes, para muitas vezes se refletir no corpo, se transformar em hipertensão e até chegar à síndrome de burnout, surgida nos últimos anos.

Vivemos mal, muito mal, para chegar a limites tão extremos.

Pois bem, feita essa constatação, como mudar? Observemos o gato: por acaso ele parece estressado? Somente em raros momentos.

O gato exala calma e tranquilidade. Serenamente instalado, com os músculos relaxados, ele não mostra qualquer sinal físico de agitação, e seu olhar não reflete nenhuma tensão.

O que, às vezes, chamamos de estresse nos gatos não passa de um pico no seu estado de alerta. Ele está atento a algum perigo em potencial, a algum acontecimento que acabou de perturbar a contínua e repousante calma do seu dia a dia. Suas orelhas se aprumam, o olhar se fixa, ele observa, ele aguarda. Contudo, uma vez identificado o causador da inquietude, ele volta à calma e, em poucos segundos, repousa a cabeça.

O gato não cultiva estresse *a posteriori* de uma situação. Uma vez identificado o perigo, evitado ou afastado, e retornada a calma ao seu ambiente, fica claro que ele se desliga, se desinteressa, como se nada tivesse acontecido. Talvez essa seja a sua grande força, uma das chaves da sua serenidade imperial.

Além de contemplativo, o gato leva uma vida organizada e tranquila, e não tolera bem grandes mudanças na sua rotina.

Seus raros momentos de estresse são provenientes de uma alteração nesse bem-estar: uma situação que o obrigue a agir e resolver rapidamente, seja expulsando um intruso, ou mostrando com força e obstinação que detestou a ração nova, mais barata, ou ainda dando a entender que a ausência longa e repetida do seu dono não corresponde às suas necessidades de atenção e amor.

PARA MANTER A CALMA
E A PAZ INTERIOR, FAÇA
COMO O GATO: IDENTIFIQUE
A ORIGEM DO SEU ESTRESSE, RESOLVA O
PROBLEMA DE UMA VEZ POR TODAS,
VÁ INCANSAVELMENTE ATÉ O FIM
E SE LIVRE DELE!
NÃO FIQUE REMOENDO.
A CALMA VAI VOLTAR,
E COM ELA O SEU BEM-ESTAR.

Outro fenômeno observado no gato, sobre o qual os veterinários são unânimes: se, por acaso, os gatos ficam constantemente estressados, em geral, a culpa é do dono!

Os gatos são esponjas, eles sentem tudo, absorvem os humores, mas, às vezes, dependendo do nível de tensão, de barulho e de gritaria, não conseguem digerir tudo na sua calma absoluta.

Se o bem-estar dele estiver em jogo e se ele tiver oportunidade, poderá chegar ao ponto de ir embora se o "ambiente" se tornar insuportável. E de quem será a culpa mais uma vez?

Se partir for a condição para restabelecer a tranquilidade do gato, ele o fará... E ponto final!

O GATO SABE SE IMPOR

"Para o gato, ser inútil é uma questão de honra, mas isso não o impede de reivindicar, na casa, um lugar melhor que o do cachorro."

MICHEL TOURNIER

Muitas vezes, por falta de autoconfiança ou mesmo por timidez, temos dificuldade de nos afirmarmos diante dos "outros". Nós nos anulamos, nos calamos, não ousamos desafiar os "outros" por parecerem intelectualmente superiores ou, no mínimo, bastante seguros de si, e isto basta para nos subjugarem com a sua presença, com o seu saber... e até com as bobagens que nos obrigam a escutar!

Quem são os "outros"? É você, sou eu – somos "os outros" de alguém. Se os "outros" ocupam mais espaço do que você, é porque *você* permitiu. É como numa casa: quanto mais armários temos, mais nos espalhamos!

Os "outros" invadem o seu espaço, enchem o seu saco e até passam por cima de você sem ao menos pedir licença? Pense no gato!

Tente pisar no rabo de um gato só para ver a reação dele! Você vai ouvir um miado alto e sentir a dor de cinco garras afiadas se cravando na sua panturrilha!

Pare já de deixar os outros pisarem no seu calo! Os "outros" não têm nenhuma legitimidade para se imporem desse jeito. Eles só têm o espaço que *você* lhes dá, pois *você* aceita, *você* tolera. E mais: depois de terem triturado seu pé, partem para pisar na cabeça, até transformá-lo no cocô do cavalo do bandido!

Existe uma grande diferença entre ter carisma e ser dono de uma personalidade forte como o gato, e usar de artimanhas para se impor.

O gato ocupa o espaço que lhe é devido, sem com isso pisar no próximo, mas não tolera que invadam esse lugar. Ele se impõe serenamente, não age como um tirano, mas também não aceita o papel de figurante!

SAIBA SE IMPOR CALMAMENTE
E DEFENDA SEU LUGAR NA PRIMEIRA
TENTATIVA DE INTROMISSÃO!
VOCÊ MERECE MAIS DO QUE FAZER O
PAPEL DE FIGURANTE!

PARA MEDITAR

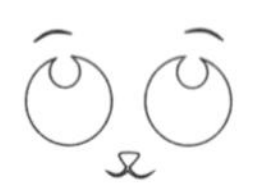

"E QUANDO VEJO
PASSAR UM GATO, EU DIGO:
ELE SABE MUITO SOBRE O HOMEM."

JULES SUPERVIELLE

O GATO É UM SÁBIO ANCIÃO

"Estudei profundamente os filósofos e os gatos. A sabedoria dos gatos é infinitamente superior."

Hippoliyte Taine

Pela atitude cuidadosa e ouvidos atentos como um psicólogo em silêncio, o gato se parece com um monge budista, com um sábio ancião. Talvez seja apenas impressão, mas sua maneira de viver, de não se cansar à toa, de contemplar o mundo com serenidade nos deixa pensativos.

Adquirir sabedoria com o passar do tempo, distanciar-se um pouco do mundo, da vida, dos acontecimentos... Todos nós vivemos o avanço da idade, uns de modo mais lento, outros de modo mais rápido...

Quantos de nós já se disseram: "Com o que sei hoje, gostaria de voltar aos meus 20 anos..." Adquirimos sabedoria com o tempo, enquanto os gatos, sem escola, sem livros, sem orientação ou referência, e até com poucos anos de experiência, possuem uma forma de sabedoria inata.

Sabedoria da qual nós só conseguimos surrupiar alguns fragmentos, e mesmo assim com inúmeras indagações, duvidando de pontos de vista, realizando tentativas, trocando conhecimento, fazendo reflexões e introspecções.

Um percurso bem sinuoso, penoso por várias razões, para um dia conseguirmos ser como o gato, sentarmo-nos serenamente para admirar o horizonte, com um sorriso estampado no rosto e mais de 60 anos. Enquanto ele sabe fazer o mesmo praticamente desde que nasceu.

Temos que aprender isso com os gatos. Mas como conseguir apreender as causas e as consequências dessa sabedoria insondável, quase mística, que eles transpiram?

Essa sabedoria eles simplesmente nos oferecem. Se você tem um gato, sabe disso muito bem. Você já passou por momentos em que foi assaltado por dúvidas, por pensamentos que se repetem continuamente e dos quais não consegue se livrar? Olhe direto nos olhos dele, de modo que ele também encare seu olhar como que lendo através de você. A sensação profunda que você terá é a de que, ao contrário de você, ele sabe. Ele sabe ou ele soube...

O gato oferece o olhar condescendente de quem narra uma lenda... É a velha história de um imperador chinês que reuniu seus maiores sábios e pediu que encontrassem uma frase que pudesse responder a todos os sentimentos, a todas as situações, boas ou más, que um ser humano pudesse passar na vida... Os sábios retornaram ao imperador algum tempo depois e lhe disseram a frase... A mensagem que o gato transmite no olhar quando você está perdido é a frase que atravessa os tempos:

"Isso também vai passar."

Sim, para o melhor e para o pior, isso também vai passar; afinal, tudo passa.

Talvez gastemos tempo demais nos agitando em todos os sentidos, até que nos tornamos surdos ao essencial da vida.

Eis o que nos diz o gato, no seu imobilismo, na sua contemplação, na sua benevolência ao retribuir o nosso olhar: eu estou aqui, eu te vigio, assim como zelo por ti, isso também vai passar…

A SABEDORIA NÃO É UMA MATÉRIA
QUE SE APRENDE OU SE ENSINA.
ELA É UM ESTADO, UMA POSTURA
UM POUCO RECUADA DA AGITAÇÃO
DA VIDA, PARA MELHOR
APREENDÊ-LA NA SUA TOTALIDADE.
O SÁBIO SABE SENTAR-SE NA LUA
PARA OLHAR A TERRA,
COMO O GATO SE SENTA
NO TELHADO PARA OBSERVAR
A LUA.

O GATO, ANTES DE TUDO, PENSA EM SI MESMO

"O gato não nos acaricia,
ele se acaricia em nós."
RIVAROL

Como vimos, para o gato, o essencial na vida é cultivar, antes de tudo, o próprio bem-estar. E para tal é preciso saber ser um pouco egoísta e pensar mais em si mesmo.

Isso não significa ser ególatra, narcisista ou egocêntrico, e sim, em certos momentos, passar o seu bem-estar pessoal na frente da satisfação alheia.

Não podemos dar nada a ninguém se não sabemos dar a nós mesmos.

Seja física ou psicologicamente, antes de qualquer coisa cuide de você, essa é a chave da qual depende a sua felicidade.

Quanto mais feliz e radiante, mais você saberá dar e compartilhar.

Não espere os outros para criar a sua bula de bem-estar e serenidade. Isso só depende de você. Ninguém o fará por você, mesmo porque ninguém sabe o que, no fundo, é importante, ou mesmo fundamental, para o seu bem-estar.

Então, pegue a si mesmo pela mão e, como o gato, construa seu território, seu porto seguro, suas condições de bem-estar e suas possibilidades de plenitude pessoal.

Cultive, diariamente, pequenos prazeres, e jamais desperdice uma oportunidade para curtir um bom momento ou se dar um pequeno presente, porque, sim, você merece! Nunca duvide disso!

PENSE EM VOCÊ, NO SEU BEM-ESTAR.
CUIDE-SE. NINGUÉM FARÁ
ISSO MELHOR E NEM FARÁ MAIS
POR VOCÊ DO QUE VOCÊ MESMO.

A MANHÃ DO GATO

7:45 | CAFÉ DA MANHÃ.

- ÁGUA NUMA TIGELA LIMPA, RAÇÃO, PATÊ, PETISCO, SACHÊ, MAS TUDO DE BOA QUALIDADE, FRESCO E NUM LUGAR LIMPO!

- PODE PARECER SIMPLISTA, MAS QUANTOS DE NÓS NÃO DEDICAM UM TEMPO PARA TOMAR O CAFÉ DA MANHÃ? QUANTOS DÃO UMA LAVADA RÁPIDA NUMA XÍCARA PARA TOMAR UM CAFÉ, DE PÉ, ENCOSTADOS NA PIA DA COZINHA, COM PREGUIÇA DE PÔR A MESA?

- VOCÊ CUIDOU DELE, AGORA CUIDE DE VOCÊ! TOMAR O CAFÉ DA MANHÃ CONFORTAVELMENTE INSTALADO, COMO O GATO, É A MELHOR MANEIRA DE COMEÇAR SEU DIA!

- CONSAGRE UM TEMPO PARA COMER, PARA PREPARAR UM PÃO NA TORRADEIRA, PARA PEGAR A GELEIA GOSTOSA PERDIDA LÁ NO FUNDO DA GELADEIRA. COMA O QUE QUISER, MAS NÃO TENHA PRESSA E FAÇA TUDO COM PRAZER.

- O CAFÉ DA MANHÃ É A REFEIÇÃO MAIS IMPORTANTE DO DIA, INSISTEM OS NUTRICIONISTAS. TAMBÉM É UMA MANEIRA DE CUIDAR DE VOCÊ, DO SEU BEM-ESTAR, E DE COMEÇAR O DIA COM UM SORRISO!

O GATO SE ACEITA COMO É, O GATO SE AMA

"A espécie humana é a única que tem dificuldade de se ver como espécie. O gato não parece ter nenhuma dificuldade de ser gato: é tudo muito simples. Aparentemente os gatos não têm nenhum complexo, nenhuma ambivalência, nenhum conflito, e não dão nenhum sinal de ter vontade de serem cães."

Abraham Maslow

É fato! Não nos aceitarmos como somos só gera dor e decepção. Todos nascemos diferentes, e a maioria de nós está insatisfeita com a sua condição, seu corpo, sua posição social... Muitos de nós nem se amam.

Gostaríamos de ser outra pessoa, em vez de simplesmente aceitarmos quem somos. Aceitar-se é, também, descobrir as riquezas e as capacidades que temos individualmente...

Ao contrário do gato, muitas vezes rejeitamos o que somos por termos inveja daqueles que são o que gostaríamos de ser... Resumindo, é o melhor meio de nos tornarmos infelizes.

O gato deseja ser um outro gato ou um outro animal? Ao que tudo indica, essa indagação nem passa pela cabeça dele, por ser completamente inútil. Ele é feliz e se orgulha do que é, e sua atitude, praticamente altiva em relação aos outros animais, e às vezes também em relação aos humanos, só serve para confirmar esse fato.

Ele é inteligente o bastante para não se incomodar com essa falsa indagação que nos faz ruminar reflexões estéreis. Consequentemente, ele se ama pelo que é, e isso o torna feliz.

Saber se aceitar não é nada complicado, basta que nos coloquemos na pele do gato, que está muito bem, obrigado.

Nós o amamos, principalmente porque ele ama a si mesmo. Que tal seguir seus passos sem se fazer tantas perguntas?

Por que, de manhã, diante do espelho, não se dizer sorrindo: "Sabia que eu te amo?"

Parece simples, não? Então tente! Você será obrigado a sorrir ao dizer essa frase!

Mas o que significa esse sorriso? Que você se ama muito ou não...? Segundo o seu sorriso no espelho, triste ou brincalhão, você saberá o caminho que ainda lhe resta a percorrer para definitivamente se amar e se aceitar na sua nova pele de gato!

PARA SER AMADO,
É PRECISO COMEÇAR
POR SE ACEITAR
E AMAR A SI MESMO!

PARA MEDITAR

"OS GATOS, AS MULHERES
E OS GRANDES CRIMINOSOS
TÊM ALGO EM COMUM:
ELES REPRESENTAM UM IDEAL
INACESSÍVEL E UMA CAPACIDADE
DE AMAR A SI MESMOS QUE OS
TORNAM ATRAENTES AOS NOSSOS OLHOS."

Sigmund Freud

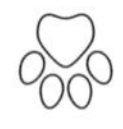 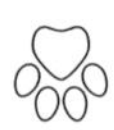

O GATO SABE SE EXIBIR, ELE É ORGULHOSO

"Não existe gato vulgar."
Sidonie-Gabrielle Colette

Muitas vezes confundimos autoestima com autoconfiança. Essas duas noções se complementam, mas podemos muito bem ter autoconfiança e, no entanto, não ter autoestima, e vice-versa.

Está um pouco vago? Digamos, por exemplo, que você é um excelente comerciante, tem confiança absoluta no seu talento de vendedor e autoconfiança nessa atividade. Entretanto, diariamente, você diz a si mesmo que não consegue crescer no trabalho, que ele não serve pra nada, que você teria coisa melhor para fazer neste mundo, mas... Isso é falta de autoestima.

O exemplo inverso, para reforçar, consiste em dizer que a música é a sua paixão, que você é um músico talentoso e tem consciência disso devido ao feedback dos fãs, mas sente dificuldade em se exibir em público... Isso é falta de autoconfiança.

Você se orgulha de quem é? Do que faz?

A imagem que tem de si mesmo naquilo que faz, de quem você é, exerce um papel importantíssimo na sua autoconfiança. Se você está em sintonia com os seus desejos, necessidades e sonhos, a autoestima e a autoconfiança se juntam e se confundem para atingir o apogeu da sua plenitude e da sua imensa felicidade.

O que dizer sobre a autoestima que o gato tem, sobre o orgulho de ser quem é e fazer o que faz? Ao que tudo indica, trata-se de uma conquista na qual devemos nos inspirar, tamanha é a sua falta de modéstia, com todas as vantagens que isso representa!

Ele é único e sabe disso, não precisa fazer algo mais para se convencer ou demonstrar às pessoas à sua volta.

Ele tem autoconfiança e autoestima. O que precisa provar? E para quem? Ele é, e pronto!

Razão suficiente e necessária para poder se exibir orgulhoso, simplesmente por ser um gato.

TENHA ORGULHO DE
QUEM VOCÊ É!
ASSIM, VOCÊ SERÁ EXCEPCIONAL!

PARA MEDITAR

"COMO ALGUÉM QUE
CONVIVEU UM POUCO
COM ELES SABE BEM,
OS GATOS DEMONSTRAM
UMA PACIÊNCIA INFINITA
COM OS LIMITES
DO ESPÍRITO HUMANO."

CLEVELAND AMORY

 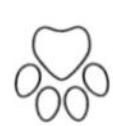

O GATO ADORA SER O CENTRO DAS ATENÇÕES

"Ao convivermos com os gatos,
corremos o risco de nos tornarmos melhores."
SIDONIE-GABRIELLE COLETTE

Com seu ar indiferente, silencioso e calmo, o gato, quando gosta dos humanos que o cercam, quer sempre ser o centro das atenções. Passando de um colo ao outro, dengoso, ele chega até a se esfregar nas pernas da única pessoa do grupo que não gosta muito de gatos, como que a desafiando.

Ninguém escapa da sua presença, inclusive os mais reticentes. Ele já tem o posto de rei da casa, e ser o centro das atenções durante um bate-papo entre amigos é um passatempo de que também gosta.

E o que faz, então? Reclama? Mia? Um filhotinho pode agir assim nos seus primeiros meses de vida. Mas o gato experiente se limita a ir na direção do grupo, silencioso, piscando os olhos, hipnotizando por alguns segundos todos à volta... E lhes oferecendo a "chance" de poder acariciá-lo, assim como de poder dar um pouco de carinho, de atenção, mas sempre olhando para eles... Mesmo o gato que estamos vendo pela primeira vez se tornará o centro da nossa atenção pela sua gentileza em vir calmamente, deixando-se tocar e fingindo (às vezes) sentir prazer com isso, para captar melhor a nossa atenção.

Instintivamente, quando estendemos a mão para um gato, procuramos tirar algum proveito desse gesto... Um pouco de calma, de serenidade... Ele sabe disso e nos olha... Permite que o toquemos, que fiquemos calmos... Porque, inevitavelmente, todos nós sorrimos ao acariciar um gato!

O que ele faz para ser o centro das atenções?

Ele se oferece. Pela sua maneira de ser, pelo simples fato de se apresentar como um presente que acalma, como uma oferta que podemos tocar... ele se oferece.

Basta fazer algumas carícias, e de repente, como que hipnotizados, não escutamos mais nada do que se está falando em volta da mesa... Por quê? Porque o interesse que ele nos despertou, a fonte de vida e de serenidade que ele pôs ao alcance da nossa mão valem muito mais do que qualquer consideração metafísica, do que qualquer reflexão filosófica ou qualquer discussão sobre política!

PARA CAPTAR A ATENÇÃO,
SEJA UMA FONTE CONFIÁVEL,
UM CENTRO DE GRAVIDADE PARA
O PRÓXIMO. DOE!

O GATO É UM SER DIFÍCIL DE ENTENDER

"Os gatos sabem muito bem quem gosta deles e quem não gosta, mas não estão nem aí para isso."

WINIFRED CARRIERE

Uma observação que sempre me agradou: os gatos não estão nem aí se são ou não apreciados, seja por outros gatos, seja pelos humanos.

Seu caráter independente, solitário, e que só se liga por opção e bom senso a certos seres, animais ou humanos, leva-os a mandar às favas naturalmente e com grande prazer o famoso "O que os outros devem estar pensando de mim?", ao qual damos uma importância desmesurada.

O gato não se importa com essa necessidade que temos de sermos amados, apreciados, admirados e, no mínimo, aceitos "pelos outros": ele é! Nesse caso, ele próprio se basta.

Não podemos, é claro, viver só olhando o próprio umbigo, não é essa a questão, mas a balança entre a autoestima e o que os outros pensam de nós sempre tende a pesar mais para o lado errado do que permanecer em equilíbrio.

As tentações do "tudo para parecer" não faltam na nossa sociedade nem nas mídias. A autoimagem se tornou um culto, não para nós mesmos, mas para o que os outros estão pensando, o que é o cúmulo da ilusão!

Parecer descolado, parecer jovem, parecer rico, parecer inteligente, parecer tolerante, parecer engraçado, parecer de mente aberta, parecer, parecer, parecer... Esse é o leitmotiv das últimas décadas que domina a moda, os reality shows das falsas aparências...

Parecer ter talento, parecer ser honesto até conseguir se convencer disso, mentir para si mesmo. Pois o que conta, uma vez que a balança se inclina para o lado do que os outros pensam, é essa cooptação, essa aceitação da maioria, da moda, das tendências... É o que se deve mostrar, o que se deve parecer, bem antes do que se deve ser... Bem antes daquilo que se parece mais conosco. Em suma, bem antes do que poderia realmente nos fazer felizes.

Somos constantemente submetidos a essa ditadura social do que "parecer" ou do que "ter", enquanto o gato está pouco se lixando para isso, como se não estivesse nem aí para o primeiro camundongo do dia!

Mesmo quando vive num grupo domesticado ou em estado selvagem, um gato nunca adota a atitude de um dos seus congêneres. Ele continua a ser o que é, com suas vontades, seu caráter, suas necessidades, sem nunca pensar, como nós, que precisa se submeter a um modelo social, ou mesmo exibir e apregoar uma imagem para "se integrar" na exigência de uma maioria, em geral, perdida em referências.

Ele é íntegro, antes de tudo fiel a si mesmo, e faríamos bem em nos inspirarmos nele socialmente, nem que fosse para evitar viver uma trama de pensamentos (unilaterais), atitudes rudes (estéreis), discursos (convenientes) e uma moral (duvidosa, relativa), que podem variar de acordo com as circunstâncias.

Ele é íntegro e deveríamos ser assim, nem que fosse para nos reconectarmos com os nossos desejos, nem que fosse para ficarmos felizes ao escutarmos a voz interior repetindo sem cessar:

LIBERTE-SE
DO QUE OS OUTROS ESTÃO PENSANDO!
SEJA VOCÊ MESMO!

O GATO É CURIOSO POR NATUREZA

"A curiosidade é a base essencial da educação, e se você me disser que a curiosidade matou um gato, eu responderei simplesmente que o gato morreu com nobreza."

ARNOLD EDINBOROUGH

A curiosidade é inata no gato. Assim que consegue sair do cesto dando braçadas até o chão, ele bisbilhota por toda parte, cheira, investiga com atenção os novos objetos e os lugares ainda inexplorados.

Ao contrário do cachorro, o gato não se joga de peito aberto numa novidade. Avança, prudente, sem desviar o olhar da caixa de papelão, um estratégico novo esconderijo.

A imensa curiosidade o faz redescobrir incansavelmente seu universo. Para ele, todo dia é uma nova descoberta, uma pontinha do "extraordinário" que não cessa de alimentar com essa curiosidade.

Temos todo o interesse em nos inspirarmos nele para aprender um pouco a cada dia e nos maravilharmos muitas vezes.

Existem pessoas que têm o espírito voltado para fazer novas descobertas a todo instante, e com isso a novidade faz parte do seu bem-estar, é o oxigênio do seu espírito. Precisam dessa novidade tanto quanto precisam respirar, pois sem ela vão murchando aos poucos.

Para aqueles que não sabem como cultivar essa paixão pela curiosidade, que pode ser encarada como uma lufada de bom humor para um ótimo dia, existe um princípio simples a ser respeitado: aprenda uma coisa nova todos os dias.

"One knowledge, one day."

Pouco importa o mérito, a importância ou o valor do novo conhecimento, mas é preciso um novo conhecimento por dia, às vezes uma simples palavra. Um conhecimento que você guardará para sempre.

Isso pode parecer simples, mas o que conta é estar constantemente praticando esse exercício, se você não for um "espírito curioso" por natureza. Pois um instante de curiosidade por dia equivale a 365 novos conhecimentos por ano, e, acredite, tanto para a sua cultura, como para o seu bem-estar, isso fará toda a diferença.

SEJA CURIOSO!
TENHA CURIOSIDADE POR TUDO!
VOCÊ VIVERÁ MELHOR!
DESLUMBRE-SE!

A MANHÃ DO GATO

8:15 | TOALETE DO GATO.

🐾 DEPOIS DE SE FARTAR NO CAFÉ DA MANHÃ, VOCÊ VERÁ QUE ELE VAI COMEÇAR A SE LAMBER POR MUUUITO TEMPO. É A HORA DO BANHO.

🐾 TODO MUNDO CONHECE A TAL DA "CHUVEIRADA RÁPIDA" QUANDO ESTÁ ATRASADO! ÀS VEZES, NÃO DÁ NEM TEMPO DE ESPERAR A ÁGUA ESQUENTAR. ANDA LOGO! É PRECISO SAIR VOANDO! ESTAMOS ATRASADOS! ENQUANTO ISSO, O GATO PASSA LENTAMENTE A LÍNGUA AO LONGO DE UMA DAS PATAS TRASEIRAS, DEPOIS AO LONGO DA OUTRA. TRANQUILAMENTE. SEM PRESSA.

🐾 ALÉM DA HIGIENE, O BANHO FAZ PARTE DOS MOMENTOS DO DIA EM QUE PODEMOS E DEVEMOS CUIDAR DE NÓS. COM MUITA CALMA NESSA HORA, É TAMBÉM UM EXCELENTE MOMENTO PARA DEIXAR "CORRER SOLTOS" OS PENSAMENTOS E PERMITIR QUE O CÉREBRO ACORDE TRANQUILAMENTE PARA O QUE VOCÊ TEM DE FAZER DURANTE O DIA.

🐾 EM GERAL, AS MULHERES SE CUIDAM MAIS DO QUE OS HOMENS, E PODEM LEVAR ATÉ TRÊS HORAS NO BANHEIRO! COM FREQUÊNCIA, É UMA VERDADEIRA ATITUDE DE GATO QUE ELAS ADOTAM NOS FINAIS DE SEMANA.

O GATO É IN-DE-PEN-DEN-TE

"Conquistar a amizade de um gato é uma tarefa difícil. Ele é um animal filosófico, metódico, tranquilo, defensor dos seus hábitos, amigo da ordem e da limpeza, e que não estabelece suas afeições impensadamente: ele quer ser seu amigo, se você for digno disso, mas não seu escravo."

Théophile Gautier

A independência é uma das características principais do gato. Ele não se submete a nenhuma hierarquia, não precisa viver em grupo, em tribo, como certos animais.

Sua independência é inalienável; longe da gataria, ele vive a vida ao sabor de seus desejos, sem precisar do aval de seus semelhantes e muito menos dos humanos!

Por que tal independência como *lifestyle*?

Isso lhe permite não ter de prestar contas. Só age em função da sua vontade, sem pressão externa, nem obrigação social, nem olhar acusador... Essa independência inegociável é a base da sua liberdade!

A dependência em relação aos outros, seja ela pessoal ou profissional, só faz nos submeter a pressões que nem sempre correspondem aos nossos anseios.

No entanto, por natureza, não podemos, como o gato, ser totalmente independentes. Os seres humanos sempre se aproximaram para viver em grupo. Apesar de tudo, gostamos de medir regularmente as nossas taxas de dependência e independência, fazendo-nos algumas perguntas, de tempos em tempos:

Até que ponto eu sou financeiramente independente?

Sou capaz de suportar alguns meses de celibato, sem apresentar uma necessidade compulsiva de me sentir amado e desejado a todo instante, sem ter de acumular relações sem futuro para preencher meu vazio afetivo?

Sou o único a decidir as grandes orientações da minha vida, ou elas são sistematicamente desviadas pelas diferentes necessidades da minha cara-metade, dos meus pais ou dos meus filhos?

Até que ponto sou dependente do meu trabalho pelo que ele me traz financeiramente? Endividei-me a tal ponto que não tenho outra escolha senão acumular horas extras, precisando trabalhar nos finais de semana e feriados?

Sou tão dependente da minha cara-metade que sou capaz de aceitar tudo, de sofrer tudo, até de me calar diante de possíveis humilhações?

Meus amigos desempenham um papel tão importante que não posso me permitir contradizê-los por meus atos, minhas opiniões, temendo ofendê-los ou até mesmo correr o risco de perdê-los?

Sou obrigado a suportar o mau humor do meu chefe para manter o meu emprego, embora em outro lugar uma função melhor me aguarde, mesmo que eu não precise me esforçar para solicitá-la?

Até que ponto minhas dependências – sejam do tabaco, do álcool, da droga, da comida ou do esporte! – têm importância na minha vida e, portanto, dirigem minhas atividades e meus desejos?

Até que ponto me isolei nessas dependências?

Até que ponto elas ditam as minhas regras?

Até que ponto ainda comando a minha vida?

Tantas perguntas a serem feitas regularmente (que tal começar logo hoje?) para nos conscientizarmos do nosso nível de dependência.

É fato que, em todas essas hipóteses, nós vivemos uma forma de dependência tanto na vida pessoal como na profissional.

Por isso, o essencial é determinar essa fração e saber se ela é majoritária ou minoritária.

No final, o que eu ponho na balança? Quais são os ingredientes do meu bem-estar?

Não podemos viver em total independência como o gato, mas devemos corrigir certas falhas de rumo que costumamos deixar se instalarem na nossa vida, muitas vezes sem que tenhamos consciência disso...

TRABALHE PARA RECONQUISTAR,
EM TODOS OS CAMPOS,
UMA FRAÇÃO DE INDEPENDÊNCIA.
ASSIM, VOCÊ GANHARÁ
MAIS LIBERDADE.

SEGREDO DE GATO

"Podem acreditar: não fazemos nada durante o dia porque não precisamos tanto de agitação quanto vocês!

Ao contrário do que imaginam, somos muito úteis aos seres humanos.

Quando vocês voltam do trabalho, estressados, mal-humorados, cheios de más vibrações e energias negativas que armazenaram sem perceber, quem vocês acham que cuida de limpar tudo isso?

Por que depois de apenas alguns instantes na nossa companhia, ao nos acariciar, vocês se sentem melhor, como que por milagre? Cada vez mais calmos?

Nós, os gatos, estamos aí para isso. Ao ficarem em contato conosco, sugamos todas essas energias negativas que tornam vocês tão tristes, agressivos, desolados. Aliás, vocês percebem o que acontece e pensam que só a nossa presença já é relaxante, porém fazemos muito mais do que isso sem que sequer desconfiem.

Diariamente, nós curamos vocês de todos os males que a vida lhes inflige porque nós amamos vocês."

ZIGGY

O GATO É A AUTOCONFIANÇA EM PESSOA

"Existe uma diferença entre o cão e o gato.
O cão pensa: eles me alimentam,
eles me protegem, devem ser deuses.
O gato pensa: eles me alimentam,
eles me protegem, devo ser deus."

Ira Lewis

Como falamos no capítulo sobre orgulho e autoestima, a autoconfiança também é uma das principais forças inatas do gato.

Você já viu um gato adotar uma atitude introvertida, submissa, como se estivesse pouco seguro de si? Nunca! Ele é orgulhoso, ele é o melhor, e sabe disso. É como diz o ditado: "Não somos os melhores quando pensamos, mas quando sabemos." Aí reside um dos mecanismos da autoconfiança. A diferença pode parecer pequena, mas é importante!

A autoconfiança resulta tanto da aceitação do que realmente somos, como abordamos há pouco, quanto do orgulho do que somos, proporcionalmente aos nossos talentos e ao nosso sistema de valores.

A autoconfiança significa, por exemplo, para o gato, vir espontaneamente até você, dizendo a si mesmo: "eu sei que você gosta de mim", e não "você ainda gosta de mim?".

Assim sendo, essa certeza que ele tem também faz parte da sua aura, do seu carisma, do seu charme, da sua beleza, pelo simples fato de que o amamos.

Muitas pessoas sofrem dessa carência de autoconfiança, enquanto em outras ela é transbordante, ainda que muitas vezes sem razão.

Todos esses capítulos se juntam e se entrecruzam, como você já percebeu, pois a plena autoconfiança resulta de um conjunto de capacidades, propositalmente segmentadas neste livro para serem mais bem compreendidas, mas que se unem e interferem umas nas outras...

Sim, é preciso gostar de si mesmo para ter autoconfiança, é preciso ser suficientemente independente, inteiro (e não pela metade), e se livrar do "O que vão dizer?" etc.

A autoconfiança não é um conceito lançado no ar, e sim uma aprendizagem, uma soma de forças que, por sinal, o gato possui. Capacidades que devem ser integradas uma a uma, e que nos permitem produzir com mais qualidade e viver cada dia melhor.

As pessoas que têm autoconfiança são "o centro das atenções", "livres", "carismáticas"... Para muitos, elas são felizes, mas porque souberam cultivar todos os parâmetros que permitem desenvolver, com o passar do tempo, essa confiança em si mesmas.

Copie o gato nesse aspecto, e você será você.

"CONFIE EM SI MESMO!"
SERIA UMA FRASE FÁCIL
PARA ESTE TIPO DE LIVRO.
MAS POSSO GARANTIR
QUE CULTIVAR OS DIFERENTES ASPECTOS
QUE A FORJAM, COMO FAZ
O GATO, DARÁ A VOCÊ ALEGRIAS
E VITÓRIAS NA VIDA
QUE FARÃO BROTAR NATURALMENTE
ESSA AUTOCONFIANÇA!

O GATO SABE DELEGAR

"Os gatos são espertos
e sabem disso."
TOMI UNGERER

Vocês cercam de cuidados as pessoas à sua volta e costumam ficar à disposição delas? Ou, muito pelo contrário, consideram que tudo é dever delas (dos outros), que todos devem estar ao seu dispor e satisfazer a menor das suas exigências?

Sem incorrer em exageros, saber fazer os outros servirem você como faz o gato pode facilitar bastante o seu dia a dia.

O gato não faz nada, todo mundo sabe, e passa o tempo todo sendo servido! Ele é o rei!

Sem querer copiar à perfeição atitudes dominadoras dignas da realeza, você também não precisa ser o empregadinho, sempre à disposição da família! Satisfazer todas as expectativas, todos os caprichos e todas as vontades dos seus filhos e da sua cara-metade não é o que há de mais sadio.

Aprenda com o gato a ser servido e comece a delegar pequenas tarefas do dia a dia. Você não é empregado dos seus filhos, portanto, dividir com eles certos trabalhinhos para manter o bom funcionamento da casa não vai lhes fazer mal algum! Muito pelo contrário.

Você vai ganhar tempo, eficácia, sentirá menos cansaço e ficará menos estressado! Saber delegar é o começo de tudo! Mas, para isso, é preciso pedir ao invés de simplesmente ir lá e fazer, só porque será mais bem-feito ou mais rápido se você...

Isso também vale para os diretores de empresas, muito raramente capazes de confiar, de delegar, precisando sempre verificar e confirmar o trabalho de todos os seus subordinados... É um péssimo hábito que se transforma em regra, pois, por conta disso, todos os funcionários, "paparicados" nos seus cargos, vão querer que você valide cada vírgula do trabalho deles... Isso representa muitas horas de autonomia perdidas e de sobrecarga de trabalho para o chefe, que talvez seja você!

Aprender a delegar é, antes de tudo, liberar um tempo para você, para fazer o que quiser, em vez de ser escravo permanente das necessidades cotidianas das pessoas à sua volta.

E mais, delegar não é uma prova de confiança que você está dando às pessoas à sua volta, aos seus colaboradores, à sua cara-metade, aos seus filhos? É uma outra maneira de ver as coisas, não acha?

Daí a dizer que é para o nosso bem que o gato se faz servir permanentemente seria um pouco de exagero! De qualquer forma...

SEJA UM GATO TANTO NO
TRABALHO QUANTO EM CASA:
APRENDA A DELEGAR E A
DIVIDIR TAREFAS!

PARA MEDITAR

"OS CACHORROS TÊM
AMOS,
OS GATOS TÊM
SERVOS."

DAVE BARRY

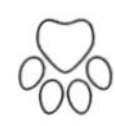 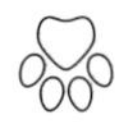

A MANHÃ DO GATO

8:45 | SEM PRESSA.

O GATO QUER SAIR, PASSEAR, AO CONTRÁRIO DE VOCÊ QUE PRECISA IR PARA O TRABALHO. QUEM SABE DIZER O QUE O GATO REALMENTE FAZ DURANTE O DIA?

SERÁ QUE ELE SAI DE CASA CORRENDO? NÃO MESMO. ELE DESFILA TRANQUILAMENTE, REPOUSANDO, NA MAIOR PARTE DO TEMPO, O RABO NO BATENTE DA PORTA ENQUANTO INSPIRA A BRISA MATINAL. O QUE AGRADA A ELE, MAS ENERVA VOCÊ, PORQUE NÃO HÁ COMO FECHAR A PORTA!

POR QUE VOCÊ CORRE QUANDO VAI SAIR PARA O TRABALHO? POR QUE, EM SEGUIDA, DÁ MEIA-VOLTA E PEGA AS CHAVES OU OS DOCUMENTOS QUE ESQUECEU EM CIMA DA MESA? SEJA ZEN! VOCÊ NÃO VAI PRECISAR CORRER SE FOR UM POUCO MAIS ORGANIZADO! OLHE PARA O SEU GATO. ELE ACABOU DE ATRAVESSAR A RUA TRANQUILAMENTE. SAIR CORRENDO FEITO UM LOUCO SÓ FARÁ VOCÊ PERDER TEMPO E GERAR MAIS ESTRESSE.

SEU BEM-ESTAR VAI DEPENDER, SOBRETUDO, DA SERENIDADE QUE VOCÊ DEMONSTRAR DURANTE O DIA. VOCÊ FARÁ TUDO DE FORMA EFICIENTE E PRAGMÁTICA, COM CALMA E ORGANIZAÇÃO, E NÃO DE MANEIRA ATABALHOADA, VIRANDO UMA PRESA FÁCIL PARA O ESTRESSE E A ANSIEDADE.

COMO O GATO, O MELHOR É COMEÇAR O DIA NUM PASSO FIRME E TRANQUILO, LEVAR ALGUNS SEGUNDOS PARA ABSORVER OS PRIMEIROS RAIOS DE SOL, ERGUER OS OLHOS PARA O CÉU, COMO ELE FAZ... E SORRIR!

O GATO SABE DAR-SE UM TEMPO PARA CURTIR A VIDA

"De todos os animais, só o gato alcança uma vida contemplativa."

Andrew Lang

Quando vemos o gato bem acomodado, sentado ou deitado, com aquele típico olhar felino fixo na paisagem, examinando os mínimos detalhes, podemos achar que ele é um grande preguiçoso, que não faz nada o dia todo! E não é mentira... pelo menos segundo o ponto de vista humano!

Entre não fazer nada e se dar um tempo para curtir a vida, a diferença é apenas um julgamento... bem humano.

Nos dias de hoje, não fazer nada, ser tranquilão, contemplar, respirar... observar, dar-se um tempo para curtir a vida é considerado uma atitude quase suspeita! É preciso se mexer, explorar cada minuto, preenchê-lo, acumular obrigações, atividades, não "perder tempo"! Isso é o normal, é a regra praticamente imposta pela nossa sociedade!

Observando essa agitação permanente, quase neurótica, de alguns dos meus colegas, não posso deixar de ficar do lado do gato, que parece se divertir ao nos observar extenuados numa bicicleta ergométrica, enquanto falamos ao telefone e acompanhamos o noticiário na TV... Nesse instante, é ele que nos vê como meio loucos ao nos esgotarmos desse jeito.

Dar-se um tempo para curtir a vida não é, a cada instante, usar o fórceps da vida, com esse sentimento surdo de medo da morte: ter que ver tudo, fazer tudo antes...

Dar-se um tempo para curtir a vida é, ao contrário do que muitos pensam, conscientizar-se de cada instante que passa, levá-lo em consideração, apropriar-se dele para aproveitá-lo melhor e curti-lo até a menor fração de segundo…

É assim que age o gato, ele não faz nada ao primeiro olhar, não tem nenhuma noção do tempo (ao menos no sentido que o entendemos), não tem noção alguma da morte que o aguarda e que ele nunca antecipa até o último instante da sua vida. (A não ser que ele conheça, com seu saber inato, o outro lado da moeda, o que também poderia explicar a sua atitude plácida no mundo dos vivos. Mas isso já é outra história…)

Dar-se um tempo para curtir a vida é saber gozar plenamente a existência, e não acumular, num cronograma fracionado em minutos, tudo o que "deve ser feito", tudo o que "deve ser visto" e tudo o que "deve ser visitado"… Para alguns, até as férias se tornam uma corrida extenuante e cronometrada, pior do que uma semana de trabalho!

Desligue, acomode-se, observe… Imite seu gato e sinta a serenidade voltar para você.

JÁ OUVIU O DITADO
"JÁ QUE DEMOROU
PARA NASCER, DEMORE
PARA MORRER!"?
ENTÃO FAÇA COMO O GATO:
DÊ-SE UM TEMPO PARA CURTIR A VIDA!

O GATO SE ADAPTA RAPIDAMENTE A TUDO

"O gato é como o molho à bolonhesa,
ele sempre cai de volta sobre as pa(s)tas."
Philippe Geluck

Meu gato Ziggy leva uma desvantagem em relação aos outros gatos: com um ano de idade, ele perdeu a pata dianteira direita, depois de ter sido atropelado por uma moto.

Entretanto, como morávamos numa área rural da cidade, ele tinha um vasto território para defender de invasores, gatinhas para seduzir, instintos de caça para satisfazer, mas uma orelha em que ele não podia passar a pata para fazer a toalete!

Contudo, para uma sessão de coceira diária atrás da orelha, a solução era fácil: ele se roçava em mim até ficar satisfeito!

Para tudo mais, eu ficava impressionado ao vê-lo agir com as três patas como se tivesse as quatro. Em duas semanas, assim que retiramos o curativo, ele foi à luta!

Nem uma única vez ficou parado diante de um obstáculo a ser transposto, diante de um muro ou de uma cerca a ser escalada. Para ele, absolutamente nada havia mudado; no entanto, com uma pata a menos, absolutamente tudo havia mudado.

Impressionado com a sua capacidade de adaptação, passei a observá-lo longamente para ver como ele se virava, e, de fato… havia algumas diferenças quase imperceptíveis. Quando corria, ele não tracionava as patas dianteiras como faz um felino, e sim tomava impulso com as patas traseiras como faz um coelho! Numa rapidez alucinante!

Quanto aos gatos intrusos que o viam amputado e achavam que poderiam passear no jardim sem ter o que temer: ledo engano! Ele havia adotado uma técnica só dele: em vez de correr atrás do valentão que tinha vindo se exibir, Ziggy se sentava imóvel no centro do jardim e deixava o outro avançar e circular à sua volta, cada vez mais perto. Assim que o inimigo estava suficientemente próximo, ele se erguia nas patas traseiras feito um canguru, com a única pata dianteira em guarda como um boxeador, e deixava o invasor avançar mais. O intruso não compreendia a atitude pouco comum para um gato, e avançava desconfiado. Eu ficava só observando, hipnotizado com a calma dele, com aquela postura de boxeador. E, uma vez o gato ao alcance do comprimento da sua pata, Ziggy lhe desferia uma esquerda espetacular! (Com sua única pata, ele havia adquirido bastante musculatura!) Surpreso, o invasor começava a recuar, e só nesse momento Ziggy iniciava uma perseguição para fazê-lo dar o fora do seu território! Eu ficava chocado! Era raro ele precisar fazer mais para expulsar os gatos que tentavam se aproximar da nossa casa: bastava um cruzado certeiro!

Com relação às gatinhas, o caso era diferente, pois a sedução e o jogo que antecediam o acasalamento eram um pouco brutais para a sua dificuldade de se equilibrar nas costas delas! (Que grande momento!)

No entanto, a gata da vizinha, apaixonada por Ziggy, compreendeu rapidamente que, se executasse o jogo de sedução habitual, não seria possível para ele segurá-la pela nuca, como fazem os gatos, e ele não poderia ficar em cima dela sem cair… Então, quando sentia desejo, ela se postava diante dele, completamente imóvel, deitada e com o traseiro para cima! O sedutor só precisava agir a seu bel-prazer.

Os gatos nos superam em muitas coisas, inclusive na capacidade de adaptação, e no caso específico dessa gata, na capacidade de compreensão.

Ziggy nunca sofreu com a deficiência e vive exatamente da mesma maneira que antes do acidente. Nenhuma escada, nenhuma árvore jamais conseguiram vencer a pata que falta a ele. Seríamos capazes disso? Logo nós, frágeis humanos, que gememos tanto por qualquer machucadinho de nada!

O gato tem uma capacidade de adaptação física invejável.

Mudando dessa casa, fui morar no Centro da velha Lyon. Um novo hábitat para ele, novas condições de vida, nenhum jardim, mas uma ruela que ficava calma depois das 23 horas, e onde se localizavam antigos ateliês, com uma portinhola para gatos... Foi a felicidade de Ziggy, que, adaptando-se ao novo lar, atravessava a tal portinhola e passava a metade da noite caçando ratos!

Para terminar esse assunto de adaptação ao meio ambiente, hoje em dia moramos num barco, sempre em Lyon. Ele precisou, simplesmente, administrar sua atração pelos patos, para não cair no rio Saône! A imensidão dessa extensão de água em volta dele deixou-o bastante impressionado... Mas depois de alguns dias, como novo dono do pedaço, ele se pavoneava no ponto mais alto do teto do barco e ficava vigiando o novo território, indo e vindo entre os passadiços. Até que, querendo aumentar sua nova propriedade, decidiu passear no cais, esparramar-se na grama e vigiar bem de perto os patos perdidos que se aproximavam da margem.

Capacidade de adaptação física, capacidade de adaptação ao meio ambiente... o gato é mestre no assunto! Mesmo que deteste que mudemos seus hábitos e sua casa, ele será capaz de pôr tudo em ação para recriar seu casulo de bem-estar, seus hábitos de vida prazerosa, seu universo.

O que é a capacidade de adaptação? Uma verdadeira marca de inteligência.

DE ONDE VEM A CAPACIDADE
DE ADAPTAÇÃO DO GATO?
SERÁ DO SEU AMOR PELA VIDA?
SERÁ DO SEU AMOR PELA PRÓPRIA VIDA?
SERÁ DO SEU AMOR POR SI MESMO?
OS TRÊS, CREIO EU!
TEMOS QUE APRENDER ESSA LIÇÃO!

PARA MEDITAR

"SE PUDÉSSEMOS CRUZAR
O SER HUMANO COM O GATO,
ISSO MELHORARIA O SER HUMANO,
MAS DEGRADARIA
O GATO."

Mark Twain

O GATO AMA A CALMA

"O silêncio do gato é contagiante."

Anny Duperey

"Me deixa em paz! Silêncio! Tenha calma! Sai daqui! Não perturba!" Quantas vezes sonhamos dizer isso em certos momentos...

Na maior parte do nosso dia, estamos envolvidos num turbilhão de ruídos, buzinas, estresses, portas de metrô abrindo e fechando, celulares tocando, alertas da agenda, de reuniões, de e-mails... movimentos incessantes, barulhentos, que acabam com os nervos de qualquer um.

A calma revitaliza o gato; ele aprecia e busca essa calma. A calma exterior alimenta sua calma interior. Por que não fazemos o mesmo?

Por que nós não tentamos, pelo menos, separar diariamente alguns instantes para imergir na calma absoluta, no silêncio? Para ouvir somente nossa voz interior, nosso coração bater... aumentando, com isso, nossa paz de espírito, cultivando-a e mantendo-a todos os dias para recuperar a serenidade... Simplesmente, vivendo melhor.

Faça como o gato, busque um pouco de calma. E se o ambiente não se prestar a isso, faça igual a ele: saia sem dizer nada para se isolar, vá para um lugar que só você conhece! E só volte quando sua necessidade de calma estiver satisfeita, quando sua reserva de energia estiver revigorada.

Podemos suportar todo o barulho do mundo, desde que não seja imposto pela opressão, desde que não venha invadir nossa paz de espírito para alimentar um estresse inútil.

CRIAR CONDIÇÕES
DE CALMA
É CRIAR CONDIÇÕES
DE BEM-ESTAR,
E A MELHOR DAS SOLUÇÕES
PARA AS ÚLCERAS EVITAR!

O GATO ESCOLHE SUA TURMA

"Nunca escolhemos um gato,
ele é que nos escolhe."
Philippe Ragueneau

Uma coisa é certa, o gato nunca se estressa por causa da convivência com outros gatos, e muito menos com humanos que não lhe interessam. Ele escolhe a dedo (*ops!* à pata) com quem vai conviver, e gostará igualmente de todos.

Então, por que nós, animais humanos, passamos uma grande parte da vida suportando pessoas que não engolimos e que têm valores totalmente opostos aos nossos?

Por que, por conveniência social, e às vezes por preguiça, nos obrigamos a multiplicar bajulações e sorrisos, perdendo o nosso tempo e despendendo energia para manter, quase que obrigados, essas relações que nos violentam?

Escolher, como o gato, é o que poderíamos fazer de mais simples!

Escolher com quem vamos conviver, escolher com quem vamos passar o tempo, escolher de quem gostamos, com quem queremos viver a vida.

O gato que escolheu você testou a sua afeição, a sua personalidade e a sua fidelidade. Ele só se entregará a você se quiser, se sentir que você é fundamental na vida dele atual e na velhice, e lhe será fiel, pois a escolha foi dele.

A vida é muito curta para dividi-la com idiotas: será que geralmente somos tão burros assim?

Às vezes, somos mesmo, e isso não nos parece tão óbvio!

PARE DE ATURAR GENTE IMBECIL,
ESCOLHA SEUS RELACIONAMENTOS,
ESCOLHA SEUS AMIGOS!

O DIA DO GATO

12:30 | HORA DA PAUSA.

- JÁ QUE O SEU GATO PASSOU A MANHÃ PASSEANDO, POR QUE NÃO FAZER O MESMO?

- ALMOÇAR NUMA SALA SOMBRIA NÃO É NADA BOM! NUM REFEITÓRIO BARULHENTO, NEM PENSAR!

- ENTÃO, APROVEITE ESSA PAUSA PARA ALMOÇAR FORA DA EMPRESA.

- TOME AR PURO, CAMINHE, SONHE ACORDADO DIANTE DAS VITRINES, NUM PARQUE, ANDANDO TRANQUILAMENTE, SENTE-SE NUM BANCO PARA FAZER SUA REFEIÇÃO... MAS TOME AR PURO, COMO UM GATO. ANDE SEM DESTINO, SAIA, RESPIRE FUNDO, PARE, ADMIRE AS BELEZAS QUE NORMALMENTE VOCÊ NEM SEQUER DISPÕE DE TEMPO PARA OLHAR!

- CAMINHAR É, COM CERTEZA, O MELHOR MEIO DE SE DISTRAIR, DE RESPIRAR E DE DAR A SI MESMO UMA OPORTUNIDADE DE FAZER BELAS DESCOBERTAS E ADQUIRIR NOVOS CONHECIMENTOS...

- O AMOR DA SUA VIDA ESTÁ NA PRÓXIMA ESQUINA? ENTÃO, É PRECISO CAMINHAR AO ENCONTRO DELE ;-)

O GATO SABE DESCANSAR, ELE ADORA DORMIR

"Quando acordo meu gato, ele faz cara de agradecido pela oportunidade que lhe daremos de voltar a dormir."

MICHEL AUDIARD

Existe um ditado que diz: "Não acorde o gato que dorme!" Observe-o dormir, dormir, dormir... Todos nós adoramos dormir... Então, por que nos impedimos quando surge a oportunidade?

Por que não preferir uma pequena sesta reparadora a sair correndo para lavar a louça que precisa "impreterivelmente" ser lavada, secada e guardada na mesma hora?

Aprenda a descansar como o gato, deixe-se cair nos braços de Morfeu sempre que tiver uma chance. É bom demais, e você sabe disso! Bom para a cabeça e para o corpo... Observe-o piscar os olhos devagar, ele é craque nisso faz tempo...

O gato, esse grande inventor do *far niente,* cultiva, não o sono, mas o prazer de adormecer repetidamente...

Dormir faz parte dos seus prazeres preferidos, desde cochilos aos sonos mais profundos, nos quais é visto correndo nos sonhos. Porque dormir é descansar, ter prazer e sonhar... Às vezes, não temos sonhos que gostaríamos que fossem bem mais longos?

Ah, claro que sim! Existem até sonhos que gostaríamos de tornar a sonhar. Shhhhh... Mas isso é segredo!

SINTA PRAZER EM DORMIR,
ISSO NÃO IMPEDIRÁ VOCÊ
EM NADA DE
"CURTIR A VIDA"!
SOBRETUDO NO SENTIDO
UM TANTO TOLO
QUE DAMOS A ESSA FRASE HOJE EM DIA!

O GATO SABE DIZER NÃO (E NÃO SE PRIVA DE DIZER!)

"Gosto muito dos gatos, eles pensam e guardam o pensamento só para si."
JEAN-MARIE GOURIO

Os gatos detestam que lhes digam o que têm de fazer. Obedecer a uma ordem? Nem pensar!

"Nesse caso, adote um cachorro!", pensam eles.

Teimosos feito uma mula, só raramente você vai conseguir que obedeçam a uma ordem dada.

Mas, por acaso, nós humanos gostamos de receber ordens? Claro que não. Entretanto, nos sujeitamos a elas o dia inteiro, seja no trabalho, seja em casa... Sem falar em todas as ordens indiretas, representadas pelos códigos da sociedade, aos quais "temos" que obedecer ao pé da letra!

Dizer "não", eis o que podemos aprender com o gato!

Precisamos parar de nos submetermos o tempo todo às necessidades dos outros, de nos sentirmos obrigados a seguir ordens que nada têm a ver conosco, ao ponto de só vivermos submissos, dizendo sempre "sim" – feito vaca de presépio – quando gostaríamos de dizer "não". Precisamos aprender a dizer não a pequenas tarefas que tenham se tornado um hábito do qual depois não conseguiremos nos livrar, como uma sobrecarga de trabalho além da nossa obrigação, que acaba se tornando um compromisso assumido perante nossos chefes e colegas na empresa, sem, no entanto, extrairmos disso qualquer compensação financeira que deveria vir junto... Não!!!

Aprender a dizer não, de vez em quando, aos filhos, à cara-metade, ao patrão, aos amigos, não por puro egoísmo, mas para preservar a liberdade de ação, o tempo livre. Porque, de tanto dizer "sim" para tudo e todos, o que sobra de tempo para você fazer as *suas* coisas e satisfazer os *seus* prazeres?

Aprender a dizer "não" é saber preservar seu tempo, sua capacidade de ação, sua vida, e é também saber se fazer respeitar por esse entorno que, às vezes, diante da sua incapacidade de dizer "não", sabe se aproveitar injustamente.

É preciso restabelecer a balança entre as ordens e os pequenos favores. Nenhum de nós tem que estar permanentemente à disposição dos outros.

"NÃO!... É NÃO! ENTENDEU?"

PARA MEDITAR

LEMA DO GATO:
"NÃO IMPORTA O QUE VOCÊ TENHA FEITO,
PONHA SEMPRE A CULPA
NO CACHORRO."

JEFF VALDEZ

O GATO SABE EVITAR BRIGAS (QUANDO É POSSÍVEL, CLARO!)

"As pessoas que gostam de gatos evitam medir forças."

Anny Duperey

A não ser para defender o seu território, ou para "cortejar" a gata da vizinha dando uma coça num outro macho que anda rondando a casa crente que tem alguma chance, o gato não gosta de briga.

Por acaso você já viu uma gataria se reunir para dar uma surra em outra gataria? Sob falsos pretextos de anexar territórios ou defender recursos naturais? Liderada por dois gatos enormes com insígnias de general? Nunca!

E quanto mais envelhece, mais o gato usa de estratagemas para obrigar o inimigo a fugir, porque não quer briga.

Ziggy usa um truque infalível contra um macho roliço que, de vez em quando, se atreve a invadir seu território à noite. Assim que percebe o perigo, ele se esconde e fica só esperando. Logo no começo das investidas, às vezes, à noite, eu ouvia seu rugido alto e rouco (dava até medo!). Aí eu saía e via um gato fugindo pelo jardim, e ele lá... invisível. Eu o chamava e ele não aparecia.

Foi na escuridão e dentro de casa que entendi sua técnica: ele se escondia no ângulo soturno do parapeito externo da janela, por trás de alguns galhos da parreira, e rugia (sem brincadeira, parecia o rugido de um tigre!). Assim, ele advertia o intruso do seu potencial gabarito físico sem nunca se mostrar. Caso o invasor estivesse nas proximidades, Ziggy ficava sabendo o que esperar da briga que estaria por vir. Nove em cada dez vezes isso dava certo. O gato fugia. Ziggy não saía do seu posto de vigia até ter certeza de que o espertinho já havia amarelado, e só então retomava sua ronda noturna. Apesar das suas três patas, a astúcia, a estratégia e a dissimulação eram as suas armas noturnas para evitar o confronto.

O gato não é belicoso nem briguento, ele é altivo e, tanto quanto possível, enquanto seu território não estiver em perigo, sempre evitará o combate. Esse é um dos preceitos que li em *A arte da guerra,* de Sun Tzu. Talvez ele também tenha se inspirado no gato há 2.500 anos!

É uma pena que os mais "seletos" estrategistas e chefes militares da atualidade não levem isso em conta...

O gato funciona de uma maneira interessante quando se vê cara a cara com o conflito, diferentemente da natureza humana, que insiste em multiplicar milenares e inúteis discussões inflamadas a respeito.

Numa briga sempre há dois perdedores, e isso o gato já sabe há muito tempo.

NA MEDIDA DO POSSÍVEL,
EVITE BRIGAR!

O GATO ADORA A CASA DELE, ELE MARCA TERRITÓRIO

"Gosto dos gatos porque gosto da minha casa. E dela, aos poucos, eles se tornam a alma visível."
Jean Cocteau

O gato adora a casa dele, qualquer que seja o tamanho, é o domínio dele, e ele é o único dono do lugar.

Várias pessoas que vivem com gato muitas vezes dizem, sorrindo: "Não é o meu gato que mora na minha casa, sou eu que moro na casa dele!"

Por causa da propensão do gato a ser o patrão, a "delegar", a se fazer servir, a ser teimoso e a só fazer o que gosta, alguns donos e donas de gatos, por amor a eles, se deixam invadir pelas suas necessidades e desejos. Cabe a cada um impor seus limites para uma vida em harmonia.

Mas o que nos interessa aqui é o amor, a atenção e a proteção que o gato concede à casa dele. É preciso saber que o gato, mesmo sendo doméstico, mas vivendo no campo, pode ter um território que se estenda por três ou quatro hectares. Portanto, não se surpreenda com seus longos passeios, pois ele passará muito tempo zelando pelos domínios dele.

Ainda assim, o gato é muito apegado à casa, mesmo que seja uma quitinete, pois para ele representa o centro do seu universo de conforto, o cenário do seu bem-estar físico e psicológico.

Você já prestou atenção nos apartamentos dos seus amigos, na limpeza, na arrumação, na decoração... Eles passam muito tempo nesses apartamentos? Ou vivem na rua a maior parte do tempo? Você é convidado para ir à casa deles com frequência?

Pense bem: você não vê uma conexão entre os apartamentos dessas pessoas e o estado emocional delas? Muitas vezes existe uma ligação direta entre a felicidade que elas sentem e o estado e a decoração do imóvel onde vivem. Como um efeito espelho, é uma visualização direta do bem-estar, às vezes até da imagem que elas têm de si mesmas.

Por sua vez, como você se sente na sua casa? Como estão a pintura, a mobília? Você se sente à vontade e confortavelmente instalado? Gosta de receber amigos para jantar? Fica orgulhoso de mostrar sua casa? Você se deita no sofá, enrolado num edredom e cercado de almofadas, para ler um bom livro, para as maratonas de séries ou para as sessões de filmes aos domingos? Você criou todas as condições para o seu bem-estar?

Da mesma forma que é para o gato – só não precisa ficar marcando território, por favor! –, sua casa é o espelho do seu bem-estar interior.

É também o refúgio, o lugar onde você pode descansar, recarregar as baterias, se isolar um pouco da agitação externa.

Sua casa é o centro nevrálgico de uma felicidade cujas fronteiras você sempre pode ampliar, assim como o gato, em círculos concêntricos: a vizinhança, seus hábitos peculiares, os comerciantes que você conhece, a pequena praça da esquina onde você pode se sentar e ler com toda a tranquilidade. Como o gato, você deve aumentar seu território, sua zona de conforto e segurança. Seu porto seguro.

Portanto, seu casulo deve ser um ninho confortável, para onde você sempre pode voltar para relaxar, se cuidar, se concentrar e acolher as pessoas de quem gosta.

LAR, DOCE LAR!
CULTIVE O CONFORTO E A ESTÉTICA
DO SEU PEQUENO PALÁCIO DOURADO,
VOCÊ SÓ SE SENTIRÁ MELHOR.

A TARDE DO GATO

13:15 | SESTA OBRIGATÓRIA!

- EMBORA SEU GATO PASSE A METADE DA TARDE DORMINDO, É ÓBVIO QUE VOCÊ NÃO PODE SE PERMITIR FAZER O MESMO.

- EM COMPENSAÇÃO, DEPOIS DO ALMOÇO E DE UM PASSEIO RELAXANTE, CERTAMENTE LHE SOBRAM UNS 15 MINUTOS OU MEIA HORA ANTES DE VOLTAR PARA O TRABALHO.

- POR QUE NÃO TENTAR UMA PEQUENA SESTA DE 15 MINUTOS? VOCÊ VAI RECUPERAR A ENERGIA COMO SE HOUVESSE DORMIDO VÁÁÁÁÁÁRIAS HORAS.

- ALIÁS, ALGUMAS EMPRESAS USAM CADA VEZ MAIS ESSA PRÁTICA PARA MELHORAR O DESEMPENHO DAS SUAS EQUIPES.

- A SESTA DO GATO? É O FUTURO DA EMPRESA! SOBRETUDO PARA VOCÊ, É UMA MANEIRA DE SE REFAZER DEPOIS DE UMA NOITE MALDORMIDA, DE RECUPERAR ENERGIA OU DE ANTECIPAR UM FIM DE TARDE ENTRE AMIGOS, QUE VOCÊ SABE QUE PODERÁ SE PROLONGAR MADRUGADA ADENTRO!

O GATO CONFIA

"Não podemos confiar em ninguém.
Com os gatos é diferente.
Se você for aceito na vida deles,
será para sempre."
André Brink

A partir do instante em que um gato te escolher como companheiro de vida, ele confiará plena e inteiramente, quase cegamente, em você. Quando, por exemplo, você o acaricia, pode acontecer de ele se deitar de costas. Um gato nunca fica nessa posição naturalmente (exceto no seu ninho, onde se sente em total segurança), pois se torna vulnerável demais e terá dificuldade para fugir ou se defender. Assim sendo, de carinho em carinho, de beijos a gestos de afeição, ele poderá subir em você ou ficar ao seu lado, nas posições mais improváveis, para ser acariciado mais e mais, para brincar e para que você o coce na barriga. Ele confia em você!

Essa confiança absoluta se mostra de diferentes maneiras, mas alguns comportamentos são indicadores incontestáveis.

Que confiança nós temos nos outros... Até que ponto devemos confiar em alguém?

Muitas vezes, sofremos decepções sentimentais, sejam elas amorosas ou com amigos, e por isso sentimos dificuldade em tornar a confiar nas pessoas. Poderemos até acreditar no outro, mas sempre ficaremos com um pé atrás, atentos ao menor sinal que possamos interpretar (frequentemente de maneira errada) como um próximo passo em falso ou mesmo a expectativa de uma pequena mentira.

Essa atitude suspeita pode realmente prejudicar nossa vida. Como ser feliz vivendo o tempo todo com medo, com receio de ser traído? Impossível.

Não há outra saída para recuperar a serenidade e a alegria de viver senão reaprendendo a confiar, quase como eu disse em relação ao gato: cegamente.

Mas, como ele, não se pode confiar em qualquer um, nem escancarar a porta dos seus sentimentos e da sua vida logo de cara.

Siga seu instinto com as pessoas que você vier a conhecer, ele nunca o enganará... E, a partir do instante em que sentir que conheceu a pessoa certa, seja no amor ou na amizade, não se feche para a felicidade permanecendo numa postura defensiva de medo e desconfiança.

Abra as comportas do seu coração, dê-se por vencido e confie. Você não terá escolha, não há outra via a seguir para viver plenamente essa chance de felicidade.

DOMINE O MEDO,
AME E CONFIE
COM DISCERNIMENTO.

O GATO É UM LÍDER NATO

"Quando o gato sai,
os ratos fazem a festa!"
DITADO POPULAR

O gato é um excelente gestor, o chefe perfeito, pois fiscaliza sem precisar fazer nada... Ele incentiva com o olhar sem ter que gritar para ser respeitado. Ele está ali, simplesmente, e sua mera presença põe os ratos para trabalhar! Vejamos o caso deste livro: eu fui o rato! E Ziggy, deitado nas minhas anotações em papel, manteve-se atento com o canto do olho para que eu não me dispersasse nos meus devaneios, e o arquivo final fosse entregue a tempo e a hora!

Por um lado, ser um gato no trabalho é, como vimos, saber delegar! Isso é essencial! Seja na organização do trabalho e na gestão da empresa ou na valorização e autonomia dos seus colaboradores. Por outro lado, é saber também estar presente, fiscalizar, ver sem ser visto, dar o exemplo...

Quer você seja ou não o chefe, a atitude do gato se adapta perfeitamente ao ambiente profissional. Eis alguns exemplos:

- Não se desgaste inutilmente, avalie o seu trabalho e o tempo de que dispõe para realizá-lo, de acordo com a "importância" da tarefa. (*O gato: Eu estou correndo algum perigo? Não! Então vou esperar um rato passar para me mexer e...*)

- Não aja como uma barata tonta para parecer sobrecarregado, isso cria um estresse desnecessário nos seus colaboradores. (*O gato: Pare de ficar passando o aspirador em tudo quanto é canto, você está me deixando zonzo!*)

- Seja eficiente, corrija os problemas imediatamente. (*O gato: Mas onde esse sujeito pensa que está? Relaxa, vou te dar uma mãozinha!*)

- Esteja sempre atento sem chamar atenção, e assim ficará a par das últimas novidades da empresa. (*O gato: Eu sei que é você que me faz cócegas com uma pena... Não precisa ficar tentando disfarçar.*)

- Saiba reagir, se necessário, o mais rápido possível. (*O gato: Uma invasão de gambás no jardim? Ok. Vou enviar um exército!*)

- Faça regularmente uma pausa para o café a fim de se informar e manter os vínculos sociais! ;-) (*O gato: A tigela de ração ainda está cheia? Não? Que tal dar um pulo na peixaria e trazer sardinhas frescas?*)

- Não finja que está trabalhando, dá pra perceber! (*O gato: Eu já passei por todos os pontos de controle do território, a segurança está Ok, agora vê se me deixa dormir!*)

- Jamais banque o sobrecarregado, quase sempre é uma prova de incompetência! (*O gato: Não se preocupe, eu administro! Rrrrr...*)

E SE O CHEFE FOR VOCÊ,
SEMPRE TENHA UMA ATITUDE
FIRME E CONDESCENDENTE
COMO O GATO, ENCORAJE
COM O OLHAR E SE FAÇA PRESENTE.

CHEFE OU NÃO, AO TRABALHO:
O LÍDER É VOCÊ! SEMPRE
DÊ O SEU MELHOR
SEM, NO ENTANTO, FAZER
ALARDE INUTILMENTE!

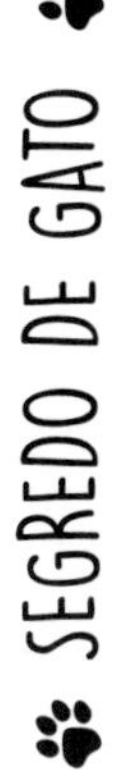

"Vocês aí vivem dizendo – e nós só ouvindo – que somos grandes preguiçosos e dormimos o dia inteiro.

Se, por um lado, dormimos algumas horas no fim de tarde, saibam que é porque, ao contrário da maioria de vocês, preferimos a noite. Vocês não percebem isso porque estão dormindo!

Se, por outro lado, nós também dormimos de dia, saibam que é por causa de vocês, porque esses picos de sono permitem que nos livremos de todas as energias, pensamentos e vibrações negativas que sugamos de vocês para aliviá-los.

Nós não podemos guardá-las, temos que limpar a nossa mente e a nossa alma, e o nosso sono serve para isso.

Além do mais, saibam que podemos absorver o mau humor de vários membros da sua família; sabemos como tranquilizar um a um, contudo o nosso sono recuperador será ainda mais longo.

E se um dia tiverem a boa ideia de adotar um casal de filhotinhos, eles poderão dividir essa tarefa no seio da família. Só não me obriguem a compartilhar minha confortável cama com eles, porque aí sim, poderá haver uma briga e tanto na casa, podem crer!"

ZIGGY

O FIM DE TARDE DO GATO

18:30 | LAR, DOCE LAR. A VOLTA PARA CASA!

UM INSTANTE DE DESCONTRAÇÃO, DE AFAGOS, DE CARÍCIAS. A ROUPA PARA LAVAR E AS LIGAÇÕES NÃO ATENDIDAS PODEM ESPERAR. COMO O GATO, RELAXE UM POUCO DEPOIS DA SUA JORNADA DE TRABALHO. NÃO ADIANTA SE ATIRAR SOBRE AS TAREFAS DOMÉSTICAS ATRASADAS. SEPARE MEIA HORA PARA DESCANSAR TRANQUILAMENTE, COLOQUE UMA MÚSICA, VISTA UMA ROUPA BEM CONFORTÁVEL PARA SE SENTIR MAIS À VONTADE.

DESCANSE UM POUCO ANTES DE COMEÇAR A SEGUNDA PARTE DA SUA JORNADA, FEITA DE DESEJOS, PEQUENOS PRAZERES A SEREM CULTIVADOS, TELEFONEMAS PARA OS AMIGOS...

NESSE MOMENTO, A ÚNICA PREOCUPAÇÃO DO GATO É:
"CHEGOU A HORA DA RAÇÃO?".
É O SEU GRANDE PRAZER PESSOAL, POIS ELE SABE QUE DALI A ALGUNS INSTANTES VOCÊ VAI TER TEMPO, AO CONTRÁRIO DO QUE ACONTECE PELA MANHÃ, DE ABRIR UM PEQUENO SACHÊ DE SALMÃO AO MOLHO, QUE ELE TANTO ADORA.

18:30 É A HORA DA DESCONTRAÇÃO PARA ELE, ASSIM COMO PARA VOCÊ, EM QUE A JORNADA PASSA DO COMPROMETIMENTO PARA O RELAX. O MELHOR É NÃO ARRASTAR O CANSAÇO OU O ESTRESSE DO DIA PARA O SEU UNIVERSO DE CONFORTO E PARA A SUA NOITE.

O GATO É OBSTINADO

"A recusa do gato em compreender é intencional."

LOUIS NUCÉRA

Teimoso, sim, obstinado, mais ainda! Você pode chamar seu gato mil vezes quando ele estiver todo encolhido num canto do jardim; ele não vai mexer nem uma orelha, muito menos virar a cabeça. Ele poderá ficar desse jeito durante horas, esperando o rato surgir de dentro do buraco. Paciência, obstinação; é possível observá-lo tardes inteiras assim, sem que ele se canse nem desista. Uma verdadeira lição de vida profissional, e pessoal também.

Uma perseverança digna de respeito, até ele atingir seu objetivo: pegar o rato. Ele não vê a hora passar, nem liga para o cansaço; diferentemente de nós, que desistimos a alguns metros da chegada... Uma atitude a se pensar!

A paciência do gato para obter o que deseja só é igual à sua obstinação. Diante disso, nos resta apenas reverenciá-lo.

"Jamais desistir de nada!" é o lema do gato, quando, muitas vezes, para nós, trata-se apenas de palavras. É DE TIRAR O CHAPÉU!!!

SEJA PACIENTE E OBSTINADO
EM TUDO O QUE FIZER,
NÃO DESISTA NUNCA!

O GATO É SEMPRE PRUDENTE

"Gato escaldado tem medo de água fria!"
DITADO POPULAR

O gato não é doido, e seus infortúnios sempre lhe servem de lição. Ele nunca se aproxima de um lugar novo, de um carro ou de um objeto à sua volta sem antes observá-lo longamente e tomar infinitas precauções. O gato evita correr perigo inutilmente. Tudo o que é novo é, em primeiro lugar, minuciosamente inspecionado, cheirado, analisado.

Ser prudente é, obviamente, evitar muitos problemas, muitos conflitos, muitos acidentes. Contudo, por falta de instinto, o homem construiu seu saber e sua experiência segurando o carvão em brasa... para perceber que ele queimava! É uma mecânica bem estranha ao descrevê-la assim. O homem não sabe nada enquanto não lhe é ensinado. Você consegue imaginar um gato andando sobre cinzas incandescentes?

Quantos de nós ficaram doentes depois da ingestão de um alimento estragado, ao não perceber que ele estava impróprio para o consumo? Entretanto, quantas vezes você viu seu gato torcer o nariz e não tocar na tigela porque a ração azedou, ou não comer o pedaço de presunto que você lhe deu sem antes cheirá-lo de cima a baixo?

Não há muito risco de um gato se envenenar, porque ele usa os sentidos; ele é prudente, inclusive no que come.

O homem é intrépido por natureza e, portanto, imprudente como uma criança a quem devemos prevenir de tudo, a quem devemos ensinar tudo, a quem devemos proteger de todos os perigos.

Mas, por outro lado, quem ensinou ao gato que o fogo queima, que ele pode se afogar, que é preciso evitar se aproximar do enorme cachorro que late? Quem lhe disse que as coisas grandes que rodam por aí e que fazem barulho são carros que podem atropelá-lo? Ele sabe por instinto, pressente o perigo, ao contrário da criança.

Perdemos muitos de nossos instintos, muitos de nossos sentidos... Mesmo nas nossas relações com as pessoas. Quantos de nós não se disseram um dia: "Eu tinha certeza de que ele iria aprontar comigo, desde o começo não fui com a cara dele!"

Você sentiu. A verdade sobre essa pessoa deu razão ao que você sentiu, mas, por acaso, você seguiu seu instinto no momento em que o alarme tocou? Não. Em geral, preferimos a "razão" ao instinto. É uma pena, pois somente com o passar do tempo percebemos que o nosso instinto nunca nos engana, que ele sempre nos guia para o melhor, para o nosso bem-estar, para a prudência.

A primeira impressão é a que vale, pois ela nunca mente. No futuro, tenha um pouco mais de prudência, tente se reconectar aos seus instintos mais primitivos, escute a si mesmo, confie em você, e nunca se arrependerá.

QUANDO HÁ UMA DÚVIDA,
NÃO HÁ DÚVIDA!
SIGA SEUS INSTINTOS!

O GATO PRECISA MUITO DE AMOR

"Os gatos foram feitos para armazenar carícias."
Stéphane Mallarmé

Todos nós precisamos de carinho, de beijos e de gestos de afeto, de ternura, de bem-querer... E se, às vezes, sentimos carência desses gestos de amor, o gato jamais hesita em pedir quando deseja.

Em certos momentos, ele precisa tocar você, como nós mesmos precisamos nos aconchegar naquele abraço gostoso da nossa cara-metade.

Essa necessidade de amor está, frequentemente e antes de tudo, ligada a uma necessidade de amor por nós mesmos. Amor-próprio. Freud escreveu que o primeiro trauma da nossa vida foi causado pelo corte do cordão umbilical. Ele representa a ligação de amor permanente com a mãe, cortada fisicamente para sempre. Um laço de afeto que, depois, tentamos reconstruir por intermédio dos outros, na amizade, no casamento... Uma fonte de amor que procuramos em todas as formas de relacionamento.

Quanto mais somos carentes de afeto, mais vamos buscá-lo em quantidade no outro, para obtê-lo até nos satisfazermos, até transbordarmos. Como o gato, uma vez repletos de amor, nós nos afastamos fisicamente por um tempo dessa fonte... e depois, claro, voltamos para ela!

A frequência, a reiteração da nossa necessidade de amor também depende do amor que sentimos por nós mesmos. Existem pessoas supercarinhosas, outras um pouco mais distantes; nem todos precisamos da mesma "dose" todos os dias. Mas todos precisamos dessa ternura, desses carinhos, desses sentimentos.

Almejamos isso na nossa cara-metade e no nosso gato, assim como ele almeja em nós quando enfia a cabeça amorosamente debaixo do nosso braço. Ele vem buscar o nosso amor, da mesma forma que o dá a nós. É uma atitude diferente de um simples carinho de conforto, e ele chega a sofrer por tanto que precisa dele. Depois, quando seu "indicador" de sentimentos e de afeto atinge o nível máximo, ele se afasta.

Nós também estamos à procura, à espera, em busca desse amor tátil e intelectual, vital para todos nós, seja ele físico ou psicológico.

Sem amor, como o gato, como as flores, fenecemos um pouco mais dia após dia. Por isso, o centro de toda a vida, desde os tempos remotos, não pode ficar sem esse combustível: o amor.

TODOS NÓS PRECISAMOS DE AMOR,
MAS É PRECISO SABER
DAR PARA RECEBÊ-LO.
ELE É UMA CONDIÇÃO
INDISPENSÁVEL PARA A NOSSA
FELICIDADE. O QUE SERIA
DA VIDA SEM AMOR?

O gato é descansado por natureza

"Casa que tem gato
não precisa de escultura."
Wesley Bates

Se mexer, se movimentar sem parar, se agitar o tempo todo... É o destino de muitos de nós, incapazes de nos sentarmos um minuto que seja, a tal ponto estamos envolvidos na espiral do ritmo incessante das metrópoles e das toneladas de estresse que elas derramam sobre as nossas cabeças e que acabamos levando para casa.

Assim que chega do trabalho, você joga as suas coisas no sofá e começa a fazer malabarismos entre montanhas de roupas para lavar e pilhas de contas a pagar, sem reclamar, com a vassoura numa das mãos e o celular na outra?

Seu gato fica só observando você correr em todas as direções a duzentos por hora entre a cozinha, a sala e o escritório... "Ele está me observando de modo estranho", você pensa. Claro, pois, por um lado, você o está incomodando e, por outro, ele está se perguntando se você não foi atacado por uma grave crise de estupidez aguda!

Então, pegue o controle remoto do seu corpo e aperte a tecla "pausa"! Inspire longamente e expire calmamente. Você vai sentir um alívio profundo, como se tivesse acabado de soltar suas malas no chão. Um sorriso vai se desenhar no seu rosto e, por causa dessa ação e do olhar do gato, que não se desviou de você nem por um segundo, você vai se conscientizar desse frenesi inútil no qual foi engatando uma jornada de trabalho na outra! Sempre em órbita nas mais altas esferas do seu nervosismo e da sua hiperatividade.

As missões de organizar a casa, lavar roupa e faxinar precisam ser cumpridas, você dirá. Mas também podemos executá-las no momento certo, sem estresse e numa boa!

Se, no entanto, você continuar a se agitar à toa, verá o gato se levantar tranquilamente para procurar um lugar mais calmo e dar início à sua toalete. Ele se afastará como se estivesse balançando a cabeça e dizendo para si mesmo: "Não tem jeito! Boa noite para a ventania que acabou de entrar em casa! Vou pro armário, deitar em cima da pilha de suéteres e ficar em paz por um bom tempo!"

E, virando-se para você num último miado, antes de tomar a tangente na direção do monte de roupas limpinhas que você terá de lavar novamente, vai dar a entender: "Ah! Já que você parece estar estressado e precisa se acalmar, não se esqueça de colocar minha ração na tigela e trocar minha caixa de areia, que está com mau cheiro!"

PARE DE SE AGITAR
SEM PARAR!
QUE GASTO DE ENERGIA
INÚTIL!
APRENDA A DESACELERAR! ;-)

PARA MEDITAR

"BASTA CRUZAR
SEU OLHAR COM O
DE UM GATO PARA
MEDIR A PROFUNDIDADE
DOS ENIGMAS QUE CADA
REFLEXO DOS SEUS OLHOS
EXPRIME AOS BRAVOS HUMANOS
QUE SOMOS NÓS."

JACQUES LAURENT

O GATO SABE O QUE QUER, ELE É DIRETO

"Não possuímos um gato, ele é que nos possui."
Françoise Giroud

Quando deseja alguma coisa, o gato age sem rodeios e não sai de perto de você enquanto não atinge seu objetivo. Ele é exigente, sabe o que quer, e você não conseguirá enrolá-lo com uma nova marca de ração se ele não gostar. Na melhor das hipóteses, ele vai recusar ou virar a tigela, e você poderá guardar para sempre o saco no armário e voltar para a marca habitual! Ele sabe o que quer e não desiste.

Da mesma forma, você nunca poderá obrigá-lo a entrar em casa à noite se ele estiver em pleno passeio e se sentindo bem, escondido num canteiro de flores a dois passos de você!

Excelente caçador, quando decide ir atrás de uma presa, nada faz com que ele desvie do seu objetivo! Essa é uma grande qualidade do gato: obstinado, sempre sabe o que quer, e com ele não tem negócio.

Quantas vezes precisamos aparar as arestas dos nossos desejos em função de... Para, em seguida, dizer: "Na verdade, não sei o que quero, mas pelo menos sei o que não quero."

Eu só gosto da metade dessa frase, que, em geral, camufla desejos reais que escondemos debaixo do tapete, por acreditar que não podemos concretizá-los, por não sermos capazes de conquistá-los...

"O que eu quero de verdade?" é uma pergunta que todos deveriam se fazer com regularidade e com a maior honestidade. Temos uma grande tendência a nos contentarmos com o que as pessoas à nossa volta "querem" ou esperam de nós. Esquecendo, com isso, o que nos move e os desejos que realmente nos motivam.

"O que eu quero de verdade...?", o gato sabe, e ele aplica essa pergunta em todos os momentos da vida dele.

Saber bem o que queremos é a primeira etapa; a segunda consiste em dar a nós mesmos os meios de conseguir, de pedir, de sermos diretos nas nossas aspirações.

Como diz o ditado popular: "É preciso dar nome aos bois", e não ficar rodando em volta do próprio rabo. É preciso ser direto!

Essa mania que todos nós temos de sempre dar voltas para dizer o que queremos ou para pedir com firmeza o que desejamos é ainda mais desgastante.

Simplifique, não tenha medo de dar nome aos bois, de abordar de forma clara um assunto tal como ele é, de dizer a verdade na bucha e de afirmar sem rodeios o que você quer! Seja direto, você ganhará em energia e em tempo!

Finalmente, se o gato sabe o que quer, e o reivindica indiretamente pela sua atitude (temos a sorte de ter a palavra para pedir), ele não fica parado: ele age.

SEJA DIRETO, PEÇA.
"EU QUERO, EU POSSO, EU FAÇO!"
DEVE SER PARA VOCÊ
ASSIM COMO É PARA O GATO.

O GATO OUSA PEDIR (O TEMPO TODO!)

"Parece que os gatos têm por princípio
que não está errado pedir
o que se quer."

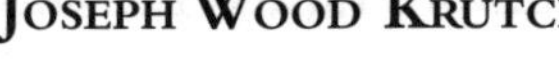

Como acabamos de ver no capítulo anterior, uma vez os desejos claramente identificados, formulados e expressos, precisamos de uma alavanca, de um detonador, de um pouco de ajuda para agir.

Muitas vezes não ousamos pedir ajuda no nosso trabalho, ou se temos problemas na vida pessoal. Por quê? Um pouco de vergonha, um pouco de medo de ver o pedido de ajuda ser recusado, um certo constrangimento em se expor, quase com a sensação de estar mendigando... Com mais vergonha ainda quando se tem sérios problemas financeiros... Não pedimos ajuda por culpa da altivez e muito menos devido a um orgulho descabido.

O gato pede, reclama quando tem fome, quando quer ir passear ou deseja carinho. Mesmo quando você está dormindo, ele não se constrange em acordá-lo para satisfazer suas necessidades momentâneas.

A respeito desse assunto, só temos a ganhar ao pedir ajuda quando precisamos, e o mais surpreendente, veja só, é que sempre haverá alguém que se sentirá importante por ter lhe estendido a mão... isso tudo, claro, só acontecerá se você pedir.

Quantas vezes já não ouviu essas frases: "Você deveria ter dito! Por que não me disse antes? Eu poderia ter te ajudado!"

Pedir, às vezes, é tão simples quanto encontrar uma solução.

O gato tem sempre razão! Ele ousa pedir.

OUSE PEDIR AJUDA!
ALGUMAS PESSOAS FICARÃO FELIZES
EM APOIÁ-LO, POIS, ASSIM,
VOCÊ ESTARÁ DANDO VALOR A ELAS!

A NOITE DO GATO

19:30 | HORA DA JANTA.

- SE A REFEIÇÃO DO MEIO-DIA FOI APRESSADA DEVIDO AO SEU CURTO TEMPO DE ALMOÇO, À NOITE, EM COMPENSAÇÃO, VOCÊ TEM TEMPO PARA FAZER ALGO PRAZEROSO E PREPARAR UMA REFEIÇÃO BEM GOSTOSA.

- O GATO CONSEGUIU QUE VOCÊ LHE SERVISSE O SACHÊ DE SALMÃO AO MOLHO. NÃO EXISTE NENHUMA RAZÃO PARA QUE VOCÊ SE SATISFAÇA, NO JANTAR, COM UMA EMBALAGEM PRÉ-COZIDA DE RAVIOLI LEVEMENTE REQUENTADA NO MICRO-ONDAS, COM UM RESTO DE QUEIJO RALADO SECO DESCOBERTO NO FUNDO DA GELADEIRA.

- COZINHAR A DOIS OU PARA DOIS, EVIDENTEMENTE, É SEMPRE MAIS FÁCIL, MAS SE VOCÊ MORA SOZINHO, TENTE ASSIM MESMO PREPARAR PRATOS SABOROSOS, SÓ PARA VOCÊ, FÁCEIS DE FAZER.

- TAMBÉM NÃO HESITE EM USAR UMA LOUÇA ADEQUADA, POIS COMER NA PRÓPRIA EMBALAGEM DE MACARRÃO CHINÊS É DOSE, FRANCAMENTE! EXISTE COISA MELHOR PARA O MORAL? CULTIVE SEU BEM-ESTAR NOS DETALHES. E SE VOCÊS FORMAM UM CASAL, APROVEITE ESSE MOMENTO DE PREPARO PARA TOMAR UMA TAÇA DE VINHO, CONVERSAR SOBRE COMO FOI SEU DIA, ATORMENTAR O OUTRO PORQUE ELE NÃO TEMPEROU O SUFICIENTE OU PORQUE CORTOU AS BATATAS NO SENTIDO ERRADO, SORRINDO, CLARO! UM BOM PAPO, SENTIR PRAZER EM COZINHAR... IR PARA O FOGÃO NÃO PRECISA SER UMA OBRIGAÇÃO, E SIM UMA ÓTIMA CURTIÇÃO. E MAIS: SÃO OS PREPARATIVOS PARA UMA BOA NOITE DE SONO, ISSO FAZ TODA A DIFERENÇA!

O GATO É HONESTO

"O gato é de uma honestidade absoluta: os seres humanos ocultam, por uma ou outra razão, seus sentimentos. Os gatos, não."

Ernest Hemingway

Todos nós mentimos um pouco, às vezes... E a primeira pessoa para quem mentimos somos nós mesmos. Os pequenos arranjos que em certos momentos fazemos com a verdade nunca nos dão um grande prazer; frequentemente causam um certo constrangimento e não nos deixam nem um pouco orgulhosos.

O gato jamais oculta seu estado de espírito, seus sentimentos, seus desejos; ele é sempre transparente e coerente ao agir como lhe dá na telha.

"Por que fazer diferente?", ele deve se perguntar. Por que agir de outra forma em vez de ser honesto com todo mundo e consigo mesmo? Afinal, tudo fica mais simples!

Não ter papel algum para representar, nenhuma pose a manter, nenhuma mentira a lembrar para não se contradizer... Não ter uma linha a seguir, uma conduta a manter ou tarefas a fazer decorrentes de algo para se gabar, para ser coerente com as pessoas à volta e não passar por mentiroso!

Mentir é cansativo! E sobretudo mentir sem ser descoberto! Além do mais, no curto ou longo prazo, todos os mitomaníacos acabam sendo pegos, pois quanto mais afundam na areia movediça da mentira e quanto mais o jogo de lorotas que se acumulam se torna difícil de levar adiante, mais tudo se ramifica e complica no falso contexto que eles criaram.

Para acabar tanto com as pequenas mentiras quanto com a mitomania, não banque o dissimulado: diga a verdade! Como o gato, seja honesto e transparente. Lembre-se do que já falamos: você ganhará em carisma e credibilidade!

Seja honesto consigo, com a sua imagem, com a confiança que os outros depositam em você, com a sua paz de espírito e com a sua autoestima!

SEJA HONESTO,
VOCÊ SÓ TEM A GANHAR COM ISSO!

O GATO É SILENCIOSO E OBSERVADOR

"Se os gatos pudessem falar,
ainda assim eles não o fariam."
NAN PORTER

Exceto no período do cio, o gato selvagem não mia. Nessa ocasião, seu miado é rouco para afastar os rivais.

Quando ainda filhote, ele mia para se impor, se fazer ouvir, mas à medida que os meses vão passando, ele começa lentamente a se calar.

O miado claro, mais agudo do gato adulto, é dirigido ao ser humano. Ele tenta falar conosco e, obviamente, não entendemos nada. Sendo assim, na maior parte do tempo, o gato fica calado e volta aos seus pensamentos, divagações, observações, volta ao seu bem-estar, ao debate estéril com outro gato ou com um humano que não entende bulhufas!

Como o filhote, nós balbuciamos e nos expressamos sem parar quando somos crianças; no entanto, quando o nosso aprendizado da linguagem avança, passamos a falar cada vez mais, e a torto e a direito!

O gato se torna rapidamente um "adulto velho", ao contrário de nós, e por conta disso aprende também rapidamente a se calar.

Ele observa, silencioso, não perde nada das nossas ações, dos nossos gestos, e nem das modificações do seu ambiente. Mas é raro emitir um comentário a respeito.

A nossa propensão a opinar sobre tudo, o tempo todo (e porque sou um grande tagarela, sei muito bem do que estou falando!), às vezes oculta um elemento necessário ao nosso bem-estar: aprender a se calar!

Devido à minha eloquência, sei disso muito bem: às vezes, dizemos um monte de bobagens! Acontece até de irmos longe demais e de sermos mal compreendidos, de nos exprimirmos sob o efeito de um mau humor que deforma a real intenção. Não era o que queríamos dizer, mas aí, tarde demais, as palavras saíram sem passar por nenhum filtro e...

Aprender a se calar é controlar a impulsividade, evitar dizer besteiras, mas também refletir e sopesar a reflexão, levando em conta os diferentes elementos... É também ouvir o que os outros têm a dizer e não monopolizar uma conversa... É não impor a opinião como uma verdade absoluta e definitiva.

Aprender a se calar é também saber preservar um pouco de distanciamento, um pouco de sigilo na nossa vida. Ser sincero, sim, mas ser transparente em qualquer pensamento, o tempo todo e com qualquer pessoa talvez não seja a melhor atitude para se proteger dos mais fofoqueiros.

Expressar-se não quer dizer se expor, e se a conversa for necessária, a observação e a escuta serão, em geral, mais convincentes do que todos os argumentos!

APRENDER A SE CALAR,
APRENDER A NÃO SER
O TEMPO TODO
O CENTRO DO UNIVERSO.
OUVIR PARA APRENDER
E SABER SE CALAR PARA
FALAR MELHOR NO
MOMENTO CERTO.

PARA MEDITAR

"O HOMEM É CIVILIZADO
NA MEDIDA
EM QUE COMPREENDE
O GATO."

GEORGE BERNARD SHAW

O GATO É UM AMIGO SINCERO

"Se você for digno do afeto dele,
o gato se tornará seu amigo,
mas jamais seu escravo."
Théophile Gautier

Se o gato aceitar você no universo dele, ele se tornará, para sempre, seu fiel amigo. Consequentemente, todos os dias ele cuidará de você, virá saber as notícias em pequenos miados, irá ouvi-lo se queixar, saberá tranquilizá-lo, consolá-lo... Ele estará por perto, por você, o tempo todo.

E nós? Estamos assim sempre presentes, ouvindo os nossos próprios amigos? Honestamente, não deixamos essa relação escapar das nossas mãos de vez em quando, mesmo tendo ela levado tanto tempo para ser construída?

Sim, podemos tomar como exemplo a fidelidade, a abnegação, a ternura e a amizade que o nosso gato nos dedica para aplicar quase literalmente aos nossos amigos.

As situações e as mudanças de vida fazem com que, muitas vezes, criemos hiatos voluntários ou involuntários nas nossas relações de amizade.

Uma recente relação amorosa é um bom exemplo disso! O momento em que o novo casal, tomado de paixão, esquece o mundo à sua volta por algumas semanas, até mesmo meses. É uma situação bastante compreensível e vivenciada por todos, que retorna à normalidade depois de algum tempo, quando, passados os primeiros arroubos, voltamos a tecer os laços de maneira mais intensa com os amigos.

Mas também acontece de decidirmos, conscientemente ou não, mudar completamente de vida e não voltar para aqueles que há anos sempre estiveram presentes, dedicando-nos somente à nova paixão.

Um egoísmo evidente, que, para os amigos, se traduz em sentimento de abandono, quase de traição.

"Depois que ela se casou, não a vi mais..." Quem não ouviu ou disse, decepcionado, essa frase em algum momento da vida?

No que se refere à fidelidade na amizade, temos muito a aprender com o gato, que, instintivamente, está do nosso lado, do primeiro ao último dia.

Os gatos são capazes de ter mais humanidade do que nós, quando, em certos momentos, somos tentados a nos concentrar nas nossas vidinhas, esquecendo tudo o que nos foi dado, tudo o que foi dito.

A amizade é uma relação tão ou mais forte que o amor, no sentido de que, em geral, dura mais tempo.

Sacrificá-la em benefício de uma paixão, sob o pretexto de respeitar o código social que, numa certa idade, exige que você se case, já é uma atitude calculista, uma maneira de "parecer".

É também a melhor maneira de ter a certeza de que, no dia de uma eventual ruptura, seus amigos não estarão ao seu lado para apoiá-lo.

MANTENHA SEUS LAÇOS DE AMIZADE,
ELES SÃO UM DOS TESOUROS
MAIS PRECIOSOS DA VIDA,
E, COMO O GATO,
JAMAIS OS SACRIFIQUE.

O GATO SE CONCENTRA NO ESSENCIAL

"Amo no gato essa indiferença com a qual ele passa dos salões às sarjetas."

CHATEAUBRIAND

Ao observar meu gato, tão pronto para cuidar da própria toalete e da elegância, e ao mesmo tempo ser capaz de catar algo interessante nas mais nojentas latas de lixo, uma reflexão surpreendente me surgiu: ele não quer saber de luxo nem de bens materiais. Muito menos de cultuar a própria imagem.

Guardo a lembrança do magnífico gato angorá branco de olhos verdes, de uma velha amiga, que sempre voltava dos passeios sujo como um porco, depois de ter deitado e rolado em porões, para então se refestelar todo nas almofadas do sofá para fazer sua toalete. Ele gostava dos dois ambientes, e nem precisava ir à rua, mas parecia um pano de chão imundo quando voltava das suas escapadelas!

Saber se desligar por instantes do seu meio, dos seus bens materiais, não dar muita importância a eles e não retocar a cada minuto o seu reflexo no espelho é um exemplo que deveríamos seguir com mais frequência para adquirir um pouco de humildade, um pouco de verdade e conseguir novamente diferenciar o essencial do superficial.

O gato não cultua o materialismo nem o status social, para ele só contam seus prazeres e seus desejos! O que os outros pensam? Os olhares, os julgamentos? Já tratamos desse assunto! Entram por um ouvido e saem pelo outro.

O que o bichano diz para si próprio quando quer alguma coisa ou quer fazer novas descobertas: "É isso aí, vou me sujar! E daí? Depois eu me limpo! Por enquanto..." "Passou uma coisa grande com um rabo comprido… Ah! Por ali! Debaixo do monte de lixo! Lá vou eu!"

Curta tudo aquilo de que você gosta e quando quiser, sem se preocupar com o resto.

NÃO DÊ MUITA
IMPORTÂNCIA ÀS COISAS MATERIAIS,
POIS VOCÊ SABE O QUE DIZEM:
"FAÇA DO DINHEIRO O SEU CRIADO,
NÃO O SEU PATRÃO!"

A NOITE DO GATO

20:30 | HORA DE DESCONTRAIR.

- ALMOFADAS, POLTRONAS, SOFÁS... VIVA O PRAZER DO GATO, QUE VEM RELAXAR DEPOIS DE UMA "DURA" JORNADA!

- "O QUE SERÁ QUE ESSE CARA AINDA TÁ FAZENDO SENTADO À MESA DE TRABALHO, MARTELANDO FRENETICAMENTE O TECLADO?", PERGUNTA-SE CERTAMENTE. E ENTÃO VEM ANDAR SOBRE AS TECLAS, PASSA O RABO NO NOSSO NARIZ E RESMUNGAMOS PORQUE É PRECISO "AVANÇAR", "COLOCAR UM PONTO-FINAL" NO TEXTO E...

- O GATO ESTÁ ALI PARA NOS LEMBRAR QUE HÁ UM TEMPO PARA TUDO, PARA O TRABALHO, PARA A FAMÍLIA, PARA A CARA-METADE, PARA A DESCONTRAÇÃO E PARA ELE TAMBÉM!

- SÃO 20:30. NA OPINIÃO DELE, NÃO É MAIS HORA DE "AVANÇAR" E SIM DE "SE RECOLHER". VAMOS PARANDO POR AÍ!

- NA MAIOR PARTE DAS VEZES, EU NÃO O ESCUTAVA E ELE DORMIA AO MEU LADO EM CIMA DA MESA, DEPOIS DE MUITAS IDAS E VINDAS ENTRE OS MEUS JOELHOS E O TECLADO, ESFREGANDO O FOCINHO NO CANTO DO MONITOR... LÁ PRAS 22 OU 23 HORAS, EU ESTAVA ENROLANDO AS FRASES, SEM, NA VERDADE, "AVANÇAR".

- QUEM TINHA RAZÃO NESSA HORA? UMA NOITE DE DESCONTRAÇÃO PERDIDA, PARA, NA VERDADE, POUCA PRODUTIVIDADE.

- ESSA É UMA REGRA QUE HOJE EM DIA EU RESPEITO: 21 HORAS, O MAIS TARDAR, PARO TODOS OS TEXTOS. BOA NOITE!

O GATO É SEMPRE NATURAL

"Que eu saiba, o gato continua sendo o único animal em que todas as emoções podem ser lidas pelo movimento das orelhas, das pupilas e das batidas do rabo."

Anne Calife

Nada de falsa sedução, nada de encenação, nada de estilo forçado, o gato jamais vestiria terno e gravata ou assumiria uma determinada atitude só para se aproximar de você. O que quer que ele desejasse, o que quer que estivesse a fim de pedir, ele o faria respeitando a própria personalidade.

O gato é honesto, como vimos, porque, simplesmente, é mais simples! Então, por que ele assumiria uma determinada postura só para se tornar diferente do que é? De que isso lhe serviria?

E quando somos nós que o fazemos, muitas vezes por falta de autoconfiança, para que nos serve? Para nada. Mentimos, mais uma vez, para nós mesmos, mentimos para os outros. E o pior é que nos convencemos de que esse disfarce que acabamos de usar para enfrentar uma situação ou certo tipo de gente será mais verossímil do que o que nós somos na nossa mais profunda intimidade. Quanta bobagem!

Como pode um cenário de papelão substituir a imponência de uma montanha real ou de um mar revolto?

Além da mentira que elaboramos, por medo de não estar à altura das expectativas, a verdade é, com certeza, o melhor meio de sermos transparentes, sem charme nem carisma!

Nosso natural não é de plástico, ele irradia tudo o que somos, ele nos torna bonitos, atraentes e verossímeis aos olhos dos outros!

Nosso natural é a garantia do que somos, sem rodeios nem falsas aparências. Saber permanecer natural em qualquer situação e assumir quem somos continua a ser o melhor meio de ser apreciado e de impressionar! Jamais se subestime!

EM QUALQUER CIRCUNSTÂNCIA...
SEJA NATURAL, AJA NATURALMENTE!

O GATO É HUMILDE E INDULGENTE

"Não se espera que o gato viva segundo as leis do leão."

SPINOZA

Todos nós temos uma tendência a exigir demais, a sermos duros com nós mesmos, chegando às vezes ao limite da autoflagelação!

Ser ambicioso, sim, dar o melhor de si próprio, sim, claro, mas saber ser indulgente consigo mesmo em caso de derrota é, também, muito importante.

Se você for honesto e der o máximo de si num trabalho ou num projeto, ninguém lhe pedirá para se sobressair em tudo, a todo momento, a ponto de ficar doente!

Qual é a relação que isso tem com o gato? Tudo se resume na citação de Spinoza. Mesmo sendo um felino como o leão, o gato não se mata ao longo do dia por não ser tão forte e tão rápido quanto o leão! O gato não é e nunca será o rei da selva! Ele nem mesmo é o chefe dos outros gatos do bairro! E daí? Será que isso o impede de viver plenamente? De ser feliz? Ele passa o tempo todo querendo galgar um posto ou adquirir um status que ele sabe que nunca vai alcançar? E ele se culpa por isso?

É preciso ter um pouco de humildade, um pouco de autoaceitação, o que não impede de nos orgulharmos do que somos e do que fazemos! Devemos parar de cantar porque não somos Freddie Mercury? Será mesmo que devemos parar de pintar só porque não somos Cézanne? Somos piores por causa disso? Ou apenas diferentes?

O importante é fazer o melhor com o que se tem e continuar a progredir, porque, mesmo sabendo que nunca será um leão, o gato não se impede de saltar, de correr, de caçar e de ser, se não o rei da selva, o rei do seu sofá!

SEJA HUMILDE
NO QUE VOCÊ FAZ,
SEJA INDULGENTE
CONSIGO MESMO,
MAS FAÇA!

"Se alguns de vocês gostam de dormir conosco quando vão para a cama, nós nos encontraremos na porta do quarto! É verdade que quando somos filhotes nos mexemos um pouco, e porque não dormimos muito à noite, queremos brincar na cama. Porém, decorridos alguns anos, ficamos mais calmos. Então, abram a porta, e cochilaremos tranquilamente aos seus pés.

Pois, se vamos para a sua cama porque gostamos dos travesseiros e do edredom quentinho, também vamos para protegê-los...

Quem vela à noite para que os maus espíritos não venham perturbá-los durante o sono?

Quem monta guarda na escuridão, sentado no parapeito da janela da sala, para que nenhum espírito maligno entre na casa?

Essa também é a nossa missão... Dormimos com vocês para melhor protegê-los... Acreditem ou não, e mesmo que isso possa parecer um tanto místico... pensem a respeito!"

ZIGGY

O GATO
SE DIVERTE COM TUDO!

"Quando brinco com meu gato,
quem sabe ele não está se divertindo mais comigo
do que eu com ele?"
Michel de Montaigne

Às vezes nos perguntamos se devemos levar a vida tão a sério quanto aprendemos. Então, para atenuar seus aspectos sombrios ou simplesmente enfrentar uma situação sob outro ângulo (o copo está meio cheio ou meio vazio?), é preciso saber se divertir.

Saber se divertir é uma condição essencial para a felicidade. As pessoas sisudas demais, congeladas em opiniões tolas, as quais nunca abandonam, às vezes se tornam incapazes de brincar, de se divertir, de rir; elas acabam se tornando praticamente inválidas para o sorriso.

Brincar é uma das principais ocupações do gato e, para ele, a caça faz parte do jogo, algumas vezes cruel quando o vemos *brincar* com um camundongo durante horas, deixá-lo escapar por alguns centímetros e depois subjugá-lo novamente. É o jogo da natureza, e nós humanos soubemos inventar milhares de outras maneiras de rir e nos divertirmos!

Saber gargalhar, rir de tudo, sobretudo saber não se levar tão a sério, saber descer do pedestal social quando, às vezes, ouvimos: "Você entende, na posição em que estou, não posso me permitir isso..."

A imagem social, a autoimagem, as falsas aparências cultivadas, "parecer", como vimos antes... Tudo que, enfim, nos impede de nos divertirmos, de rir, de achar graça, é uma característica humana que às vezes cultivamos, mas que deve ser esquecida!

DIVIRTA-SE!
COM TUDO!
COM VOCÊ!
O TEMPO TODO!

A NOITE DO GATO

23:00 | NO MUNDO DOS SONHOS.

🐾 O DIA FOI LONGO, TALVEZ CANSATIVO, É HORA DE CONTAR RATINHOS (COMO FAZ O GATO). HÁ COISA MELHOR DO QUE O SEU BOM E VELHO, MACIO E QUENTE EDREDOM PARA MITIGAR TODAS AS SUAS DORES MENTAIS E FÍSICAS? MAS AÍ O GATO CHEGA... PARA DORMIR COM VOCÊ!

🐾 COMO VIMOS NO "SEGREDO DE GATO", E LEVE ISSO EM CONSIDERAÇÃO, NÃO É À TOA QUE ELE QUER SE ACONCHEGAR EM VOCÊ OU DORMIR EM CIMA DA SUA BARRIGA.

🐾 VOCÊ JÁ OUVIU FALAR EM RONRONTERAPIA? OU DOS BENEFÍCIOS DO GATO QUE, POR INSTINTO, VEM SE DEITAR EM CIMA DOS SEUS ÓRGÃOS CANSADOS OU DOENTES? INÚMEROS ESTUDOS SÃO CONSTANTEMENTE PUBLICADOS A RESPEITO DA CAPACIDADE DE CURA DO GATO. POR QUE NÃO APROVEITAR E DORMIR COM ELE? ELE SONHA TANTO COM ISSO...

🐾 E DEPOIS, UMA VEZ ADORMECIDO, VOCÊ O ENCONTRA DE MADRUGADA, EM GERAL MAIS DISTANTE NA CAMA (PARA SUA TRANQUILIDADE) SÓ PARA DORMIR PERTINHO DE VOCÊ, AOS SEUS PÉS...

🐾 FINALMENTE, MESMO QUE TENHAMOS MUITO A APRENDER COM O GATO, PODEMOS DIZER QUE, NUM PONTO, NÓS NOS PARECEMOS TOTALMENTE QUANDO, COMO DIZ O PROVÉRBIO LIBANÊS, QUER SEJAMOS HOMEM OU MULHER: "OS SONHOS DE UM GATO SÃO POVOADOS DE RATOS!"

🐾 BOA NOITE!

O GATO É BELO... E ELE SABE DISSO!

"Há belezas que ultrapassam o vocabulário.
Os gatos pertencem a essa esfera."
Louis Nucéra

Todos os gatos são belos, o que, aliás, é bastante surpreendente! É raríssimo cruzarmos com um gato feio, a não ser que ele não seja bem-cuidado, tenha sido maltratado ou esteja com uma enfermidade grave. Mas, por definição, o gato é belo desde o seu nascimento até a sua morte e sofre muito pouco as agruras do tempo. O gato tem rugas? O gato fica careca? Por que os humanos se degeneram tanto fisicamente?

Somos, realmente, tão "superiores" a eles nesse quesito?

O gato é belo, mas isso não tem nenhuma importância para ele. Entretanto, essa atitude confiante que ele exibe o tempo todo é, em parte, condicionada pelo seguinte fato: ele é belo... e talvez até tenha consciência disso.

Pode ser também que ele não tenha nenhuma noção da própria beleza; talvez por isso sua vida seja extraordinariamente calma!

Ao contrário, para nós, frágeis humanos, a beleza física é, em geral, um elemento imprescindível à nossa felicidade, à nossa autoconfiança, e que não podemos evitar com um simples: "O que conta é a beleza interior!". Isso é hipocrisia, e todos sabemos.

A natureza fez com que não fôssemos todos iguais diante do quesito beleza e da graça natural com a qual alguns nascem. Mesmo assim, entre ser um cânone da beleza, digno de adotar a profissão de modelo, e ser vítima de uma aparência repulsiva, vai uma grande distância!

Uma distância que todos se dedicam a modelar para se sentir o melhor possível dentro do próprio corpo, uma distância a ser trabalhada na atitude, nas roupas... O objetivo não é "parecer" como julgam os olhares alheios, como nós evocamos, mas sentir-se bem consigo mesmo, bem de cabeça e em cima dos saltos!

Finalmente, só existe uma regra de beleza a ser seguida, só existe um juiz, imparcial (a não ser que ele julgue de acordo com códigos que não são os seus): VOCÊ! Você se olhando no seu espelho! Isso é tudo!

Se você se achar bonito ao se olhar no espelho, sinceramente, diante do próprio reflexo, então seu carisma, sua aura e, consequentemente, seu poder de sedução só serão multiplicados.

Sentir-se atraente é importante, até mesmo primordial! Mas não seguindo qualquer critério! Querer se parecer com uma modelo de capa de revista, além de ter que seguir rígidos – muitas vezes até mesmo massacrantes – padrões é, antes de tudo, não querer se parecer consigo mesmo e, sobretudo, não se aceitar, não se amar... Quem, então, nessa palhaçada de falsa aparência, poderá gostar de você?

Não é à toa que chamamos de gato(a) e gatinho(a) aqueles que são belos. Resumindo: o gato é um gato!

SOMOS BONITOS PELO QUE SOMOS,
PELO QUE PODEMOS MELHORAR,
MAS NÃO PELO QUE É ESTABELECIDO, APREGOADO.
O CHARME... É A CHAVE DO SEGREDO.

O GATO SE SENTE À VONTADE EM QUALQUER SITUAÇÃO

"O gato se satisfaz em ser,
esse é o verbo que lhe cai melhor."
LOUIS NUCÉRA

Podemos dizer que ao longo da nossa vida não faltaram situações em que não nos sentimos nada à vontade. Ainda que, com o tempo, a autoconfiança tenha aumentado e permitido superar mais facilmente essas situações delicadas.

Não se sentir à vontade é não se sentir à altura, mas de quem? Do quê? Dos outros, é claro, mas também da imagem que alimentamos!

Você já viu um gato se sentir pouco à vontade? Nunca! Essa é uma sensação tão humana que nem pensamos em atribuí-la a um gato.

Isso mesmo, o gato nunca se sentirá pouco à vontade porque ele não tem uma imagem a preservar: ELE É. Consequentemente, é transparente nas suas atitudes, e nenhuma mentirinha tola sobre a sua personalidade ou sobre as suas qualidades poderá deixá-lo em dúvida.

Antes de qualquer coisa, o que faz com que nos sintamos pouco à vontade é o que nós mesmos construímos.

Então, num momento desses, corremos o risco de ser "descobertos"? De não estar à altura do que dizemos, reivindicamos e que faz parte da imagem que os outros têm de nós?

Sentimo-nos pouco à vontade quando estamos entre a cruz e a espada, quando estamos entre o que dissemos, e o que fazemos e somos. E quanto maiores forem as mentiras, mais a distância entre as situações se ampliará e mais o sentimento de mal-estar aumentará. Isso é para mostrar o estado psicológico dos grandes mentirosos que nos cercam quando os desmascaramos!

Nós também ficamos constrangidos quando não nos sentimos à altura. Isso decorre da falta de autoconfiança, por isso sentir-se seguro de si, acreditar em si mesmo deve ser cultivado quando não é espontâneo. E o gato está por perto para nos guiar e nos ajudar ao longo de toda essa aprendizagem.

Para se sentir à vontade em qualquer situação, também é preciso saber ser honesto consigo mesmo tanto quanto com os outros, não se prender à imagem que apresentamos a eles, pois ela só pode ser positiva quando seguimos as regras do gato!

SENTIR-SE SEMPRE À VONTADE?
NEM SEMPRE É FÁCIL!
MAIS UMA VITÓRIA DO GATO!

O GATO DÁ PROVAS DE EMPATIA

"A única pessoa que me compreende nesse mundo é o meu gato."

DIANE GONTIER

Quem tem gato sabe bem disso: ele jamais se recusará a emprestar sua orelha. Somos capazes de um altruísmo como esse? De tamanha paciência? De tamanha empatia em relação aos outros, como quando nos olha?

É preciso admitir que, comparados com ele, nesse aspecto, nós humanos somos bem pequenos.

Mesmo com a maior das boas vontades, temos dificuldade de ouvir, com sinceridade, os problemas dos outros, a tal ponto os nossos já nos afundam, a tal ponto ser difícil nos colocarmos no lugar deles.

O gato tem essa força, essa benevolência em relação a nós, essa compaixão pela nossa aflição mesmo quando não falamos com ele, e tende a adotar atitudes protetoras e tranquilizadoras para conosco.

Mais do que a escuta silenciosa de um psicólogo, o gato parece compreender os nossos problemas, ao repetir através do olhar a frase: "Isso também vai passar...", ao ser capaz de preencher os nossos vazios afetivos.

A empatia, o ato de ouvir e de se colocar no lugar do outro, eis um campo em que todos nós temos muito a aprender com o gato, quando, em geral, nos voltamos para o nosso próprio umbigo e não temos mais do que uma pequena mão para estender, mais do que um pouquinho do nosso ouvido a oferecer.

Quando ouvimos, damos tanto quanto recebemos, em geral sem percebermos.

É PRECISO SABER
OUVIR PARA SER OUVIDO,
E SABER DAR PARA,
QUANDO CHEGAR A
SUA VEZ, RECEBER.

PARA MEDITAR

O GATO ABRIU OS OLHOS
E O SOL ENTROU.
O GATO FECHOU OS OLHOS
E O SOL FICOU.
EIS PORQUE À NOITE,
QUANDO O GATO ACORDA,
VISLUMBRO NA PENUMBRA
DOIS PEDAÇOS DO SOL.

Maurice Carême

E ENTÃO: GATO OU PAXÁ?

Viver como um gato!

A maioria das pessoas que vive com gatos inveja o modo como eles funcionam, sua propensão à felicidade, e sonha em pôr em prática o comportamento e a filosofia de vida deles no seu próprio dia a dia.

Poder adotar o comportamento do gato, e cultivar exclusivamente o que ele vai nos trazer, como traz para ele também – serenidade, bem-estar, prazer e diversão –, e saber eliminar da própria vida tudo o que pesa, sem se sobrecarregar com mais indagações... Em suma, um sonho...

Um sonho ao alcance de todos, se separarmos um tempo para adotar alguns dos comportamentos do gato na nossa autoestima, na nossa relação com os outros, na nossa capacidade de discernir o essencial do fútil.

O gato possui um saber inato para aproveitar plenamente a vida, um saber do qual temos muito a aprender. Um saber que não é uma lição a se buscar em tratados de filosofia, um conhecimento que ele nos passa na sua simples maneira de ser.

Inspirarmo-nos nele todos os dias, seja para gerir nossas relações, canalizar o estresse, exercitar o desapego, turbinar nossa autoconfiança... Esses foram os temas que abordamos nessas 40 principais qualidades do gato.

Essas foram as chaves para passarmos a ter uma vida que, em certos momentos, insiste em querer escapar do nosso controle.

Se você ainda não tem um gato – ah, que pena! –, talvez tenha se surpreendido ao encontrar numa bola de pelo ambulante tanta capacidade, tanta força, tanta sabedoria, tanta honestidade, tanta independência, tanta empatia... Talvez, neste exato momento, você já esteja pensando seriamente em ter um novo companheiro de vida... É o que lhe desejo, pois você jamais se arrependerá da ligação e da interação que se construirá entre vocês.

De agora em diante, faça como o gato, construa a sua vida numa busca tenaz de bem-estar e de prazer!

E então: gato ou paxá?
"Os dois, meu caro!", responderá o  .

PARA MEDITAR

"AO OLHAR ESSE GATO
TÃO INTELIGENTE, PENSO
DE NOVO, COM TRISTEZA,
NOS ESTREITOS LIMITES
DOS NOSSOS CONHECIMENTOS.
QUEM PODE DIZER ATÉ ONDE VÃO
AS FACULDADES INTELECTUAIS
DESSES ANIMAIS?"

Ernst Theodor Amadeus Hoffmann

A ÚLTIMA PALAVRA
É SEMPRE DO GATO!

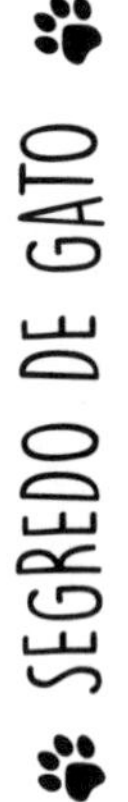

"Meu dono, melhor dizendo, meu servo não é lá muito esperto em alguns momentos e, às vezes, só atrapalha, se revelando um verdadeiro fardo! Isso me cansa! Mesmo assim, gosto muito dele, são mais de doze anos de vida em comum, vida essa que ainda não é perfeita, mas até que ele vem fazendo progressos!

Espero que os "pulos de gato" que ele compartilhou com vocês possam ajudá-los a viver melhor o cotidiano, mas sobretudo a serem felizes!

Existem outros segredos que eu gostaria de transmitir a ele para que fossem transmitidos a vocês, mas, de vez em quando, ele ainda faz vista grossa e ouvidos de mercador.

De qualquer maneira, está tudo aí, diante de nós, diante de vocês. A diferença entre vocês e nós, os gatos, é que nós vemos tudo.

Desde os tempos do antigo Egito, e mesmo antes, até os dias atuais, acompanhamos a vida dos seres humanos para ajudá-los, e fomos venerados pela nossa sabedoria, atualmente meio esquecida.

Espero que este livro possa auxiliá-los, e que o horizonte de vocês fique um pouco mais amplo a cada dia.

Caros humanos, eu lhes desejo o melhor e uma alegria a mais na vida ao nosso lado.

ZIGGY

TESTE:

AVALIE AGORA O SEU QUOCIENTE GATO (QG)

Em cada pergunta, circule (honestamente!)
o nível no qual você acredita estar.
(De 1, o mais baixo a 5, o mais alto)

❶ Até que ponto você se sente totalmente livre?

CG: 1 2 3 4 5

❷ Você acha que tem carisma?

CG: 1 2 3 4 5

❸ Você é calmo?

CG: 1 2 3 4 5

❹ Você sabe se impor socialmente aos amigos?

CG: 1 2 3 4 5

❺ Você se considera sábio, sabe se distanciar para analisar melhor a situação?

CG: 1 2 3 4 5

❻ Você sabe pensar em você? Sabe se cuidar?

CG: 1 2 3 4 5

❼ Você se aceita tal como é, com as suas qualidades e os seus defeitos? De maneira geral, você se ama?

CG: 1 2 3 4 5

❽ Você se orgulha de quem é? Do que faz? Como anda sua autoestima?

CG: 1 2 3 4 5

❾ Você se acha sempre o centro das atenções?

CG: 1 2 3 4 5

❿ Até que ponto você é insensível à opinião dos outros?
CG: 1 2 3 4 5

⓫ Você é curioso?
CG: 1 2 3 4 5

⓬ Você é independente?
CG: 1 2 3 4 5

⓭ Você tem autoconfiança?
CG: 1 2 3 4 5

⓮ Você sabe delegar?
CG: 1 2 3 4 5

⓯ Você sabe separar um tempo para curtir a vida e aproveitá-la plenamente?
CG: 1 2 3 4 5

⓰ Você se adapta facilmente às mudanças?
CG: 1 2 3 4 5

⓱ Você procura estar em lugares calmos?
CG: 1 2 3 4 5

⓲ Você diria que escolheu a maioria dos seus amigos? (Ou eles lhe foram impostos?)
CG: 1 2 3 4 5

⓳ Você sabe descansar? (Ou isso para você é uma perda de tempo?)
CG: 1 2 3 4 5

⓴ Você sabe dizer NÃO?
CG: 1 2 3 4 5

㉑ Você sempre evita brigas?
CG: 1 2 3 4 5

㉒ Você é apegado ao lugar onde vive?
CG: 1 2 3 4 5

㉓ Você confia plenamente nos amigos que o cercam?
CG: 1 2 3 4 5

㉔ Você tem alma de líder?
CG: 1 2 3 4 5

㉕ Você é persistente? Teimoso? Obstinado?
CG: 1 2 3 4 5

㉖ Em geral, você é prudente?
CG: 1 2 3 4 5

㉗ Em que nível você acha que está a sua necessidade de amor permanente?
CG: 1 2 3 4 5

28 Você se considera uma pessoa que sabe descansar?
CG: 1 2 3 4 5

29 Na maior parte do tempo, você tem certeza do que quer da vida?
CG: 1 2 3 4 5

30 Você ousa pedir ajuda aos outros com frequência?
CG: 1 2 3 4 5

31 Você se considera uma pessoa honesta?
CG: 1 2 3 4 5

32 Você tem tendência a observar e a ficar calado?
CG: 1 2 3 4 5

33 Você é fiel nas amizades, nas suas relações?
CG: 1 2 3 4 5

34 Você é indiferente à sua imagem? Aos seus bens materiais?
CG: 1 2 3 4 5

35 Você se considera espontâneo? Natural?
CG: 1 2 3 4 5

36 Você dá provas de humildade?
CG: 1 2 3 4 5

(37) Você tem tendência a se divertir com qualquer coisa?

CG: 1 2 3 4 5

(38) Quando se olha no espelho, você se acha bonito?

CG: 1 2 3 4 5

(39) Você se sente à vontade em qualquer situação?

CG: 1 2 3 4 5

(40) Você é capaz de ouvir? De se pôr no lugar dos outros?

CG: 1 2 3 4 5

CONTE SUAS RESPOSTAS:

Números de respostas 1 e 2: _____

Números de respostas 3: ______

Números de respostas 4 e 5: _____

RESULTADOS DO TESTE DO QUOCIENTE GATO

PENSAR E AGIR COMO UM GATO,
um Santo Graal para viver feliz!
Mas isso pode exigir um pouco de trabalho para algumas pessoas.

Veja os resultados do teste de Quociente Gato:

- ***Se a maioria das respostas foram 1 e 2***: Adote um gato com urgência! Observe-o atentamente, pois ele tem muito a lhe ensinar sobre as suas atitudes e filosofia de vida, para ajudá-lo a viver melhor.
- ***Se a maioria das respostas foi 3***: Você é um filhotinho, ainda há muito trabalho a fazer, mas já está no bom caminho!
- ***Se a maioria das respostas foram 4 e 5***: Parabéns! Você já é um gato!

Agora reveja uma a uma as perguntas e respostas do teste e examine todas as que você respondeu abaixo da nota 4. Elas merecem que você as examine com atenção para, quem sabe, corrigir algumas das suas predisposições, limitações, com a ajuda, claro, do gato!

São tantas as capacidades, os talentos e as aptidões que ele possui naturalmente e que nós abordamos ao longo deste livro, que só lhe resta integrá-las com tranquilidade na sua vida para viver serenamente!

PARA MEDITAR

"JÁ QUE TEMOS
APENAS UMA VIDA,
POR QUE NÃO A DIVIDIR
COM UM GATO?"

ROBERT STEARNS

PARA COLORIR

Papel: Offset 75g
Tipo: Bembo
www.editoravalentina.com.br